LARGE PRINT
WORDSEARCH

LARGE PRINT
WORDSEARCH

ARCTURUS

ARCTURUS

This edition published in 2020 by Arcturus Publishing Limited
26/27 Bickels Yard, 151–153 Bermondsey Street,
London SE1 3HA

ISBN: 978-1-78888-398-6
AD006642NT

Printed in China

KNITTING

```
O S W A R N S E L L Q Z A
W P T W I S T W R W F T N
E Y R A S E Q U O V X T B
U L L E W L P Q T R C U W
B P B P S A I Y S Q T R Z
D O U A O S U P W T F T F
E W N D C L I P O A W L V
P T M I W E Y N C N Q E N
P P I C O T H E G I E N J
O Y A H O O R I S B T E V
R G J S L F Y E Z T H C V
D N Q E T V T P P O E K K
X J L N B I R Q B E N R L
Z R I A H O M B G B A L S
O W X V C H Y E T R W T F
```

BUTTONHOLE	PICOT	ROWS
CABLE	PLAIN	SLIP ONE
DROPPED	POLYESTER	TURTLENECK
HOBBY	PRESSING	TWIST
MOHAIR	PURL	TWO-PLY
PASTIME	REPEAT	WOOL

DRINKS

```
B R E N D Y L C R M Z J U
M E F R U I T J U I C E Y
G T E A M O U S G I R Z K
A R P R O L X X D Y M Y R
C O H U E A B E S E R E S
D P Y P N J R V A R G Y Q
A N N D J C R D E A H B E
L L R T N L H H L C A B C
Y M D F N A S C O J O A G
P O L C M R H C G U C C U
C E P U W E K S R D O A O
A T R C Q T F B Z I C R D
W W P R A U O R H F Z D B
F Q K I Y N Q V G F E I D
P P L B A Y D N A R B X B
```

BACARDI	COCKTAIL	PERRY
BEER	COCOA	PORT
BOURBON	FRUIT JUICE	PUNCH
BRANDY	JULEP	RUM
CIDER	LAGER	SHANDY
CLARET	MEAD	SHERRY

CANADIAN LAKES

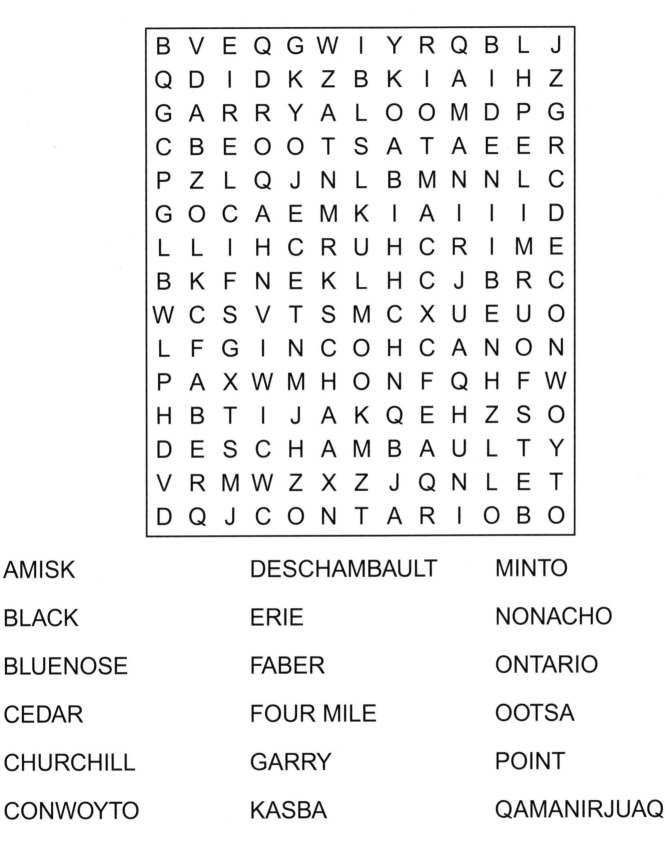

```
B V E Q G W I Y R Q B L J
Q D I D K Z B K I A I H Z
G A R R Y A L O O M D P G
C B E O O T S A T A E E R
P Z L Q J N L B M N N L C
G O C A E M K I A I I I D
L L I H C R U H C R I M E
B K F N E K L H C J B R C
W C S V T S M C X U E U O
L F G I N C O H C A N O N
P A X W M H O N F Q H F W
H B T I J A K Q E H Z S O
D E S C H A M B A U L T Y
V R M W Z X Z J Q N L E T
D Q J C O N T A R I O B O
```

AMISK

BLACK

BLUENOSE

CEDAR

CHURCHILL

CONWOYTO

DESCHAMBAULT

ERIE

FABER

FOUR MILE

GARRY

KASBA

MINTO

NONACHO

ONTARIO

OOTSA

POINT

QAMANIRJUAQ

WINTER

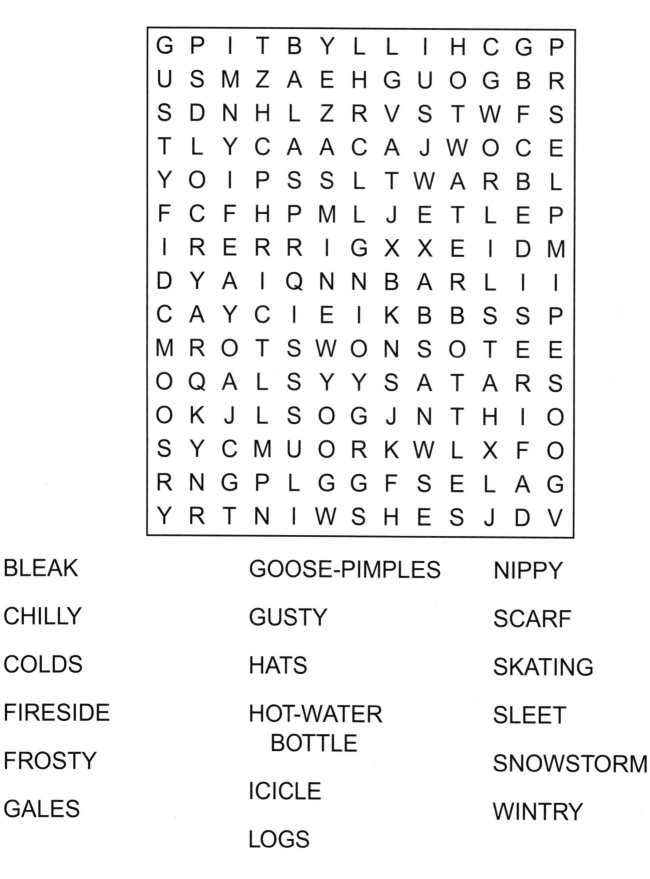

```
G P I T B Y L L I H C G P
U S M Z A E H G U O G B R
S D N H L Z R V S T W F S
T L Y C A A C A J W O C E
Y O I P S S L T W A R B L
F C F H P M L J E T L E P
I R E R R I G X X E I D M
D Y A I Q N N B A R L I I
C A Y C I E I K B B S S P
M R O T S W O N S O T E E
O Q A L S Y Y S A T A R S
O K J L S O G J N T H I O
S Y C M U O R K W L X F O
R N G P L G G F S E L A G
Y R T N I W S H E S J D V
```

BLEAK	GOOSE-PIMPLES	NIPPY
CHILLY	GUSTY	SCARF
COLDS	HATS	SKATING
FIRESIDE	HOT-WATER BOTTLE	SLEET
FROSTY	ICICLE	SNOWSTORM
GALES	LOGS	WINTRY

JUICY FRUITS

```
H O F P T W P D I W I K I
R A E P B B T C A B T C I
P A P A Y A O O C B N S L
T I D N F P M H C A A H E
L I M E G P A C E I R C M
Q B U U N L T A N A R O O
E B A R V E O E S G U P N
P V S J F H Q P R W C I A
A E H S L N B O R Y K E N
R M J U S E O P N V C Z E
G B X P R N Y I N O A H J
U L U R T O Q D S B L K Q
E G Y Y R R E H C S B E S
E B L K F O G N A M A W M
R T N I Y A F P L O N P D
```

APPLE	KIWI	PASSION FRUIT
APRICOT	LEMON	PEACH
BLACK CURRANT	LIME	PEAR
CHERRY	MANGO	RASPBERRY
GRAPE	MELON	TOMATO
GUAVA	PAPAYA	UGLI

SNOW WHITE

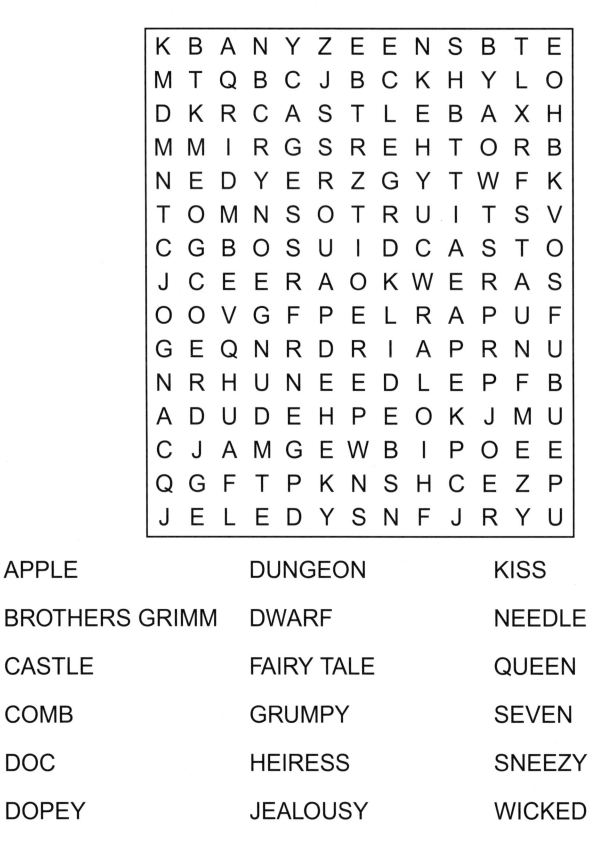

```
K B A N Y Z E E N S B T E
M T Q B C J B C K H Y L O
D K R C A S T L E B A X H
M M I R G S R E H T O R B
N E D Y E R Z G Y T W F K
T O M N S O T R U I T S V
C G B O S U I D C A S T O
J C E E R A O K W E R A S
O O V G F P E L R A P U F
G E Q N R D R I A P R N U
N R H U N E E D L E P F B
A D U D E H P E O K J M U
C J A M G E W B I P O E E
Q G F T P K N S H C E Z P
J E L E D Y S N F J R Y U
```

APPLE	DUNGEON	KISS
BROTHERS GRIMM	DWARF	NEEDLE
CASTLE	FAIRY TALE	QUEEN
COMB	GRUMPY	SEVEN
DOC	HEIRESS	SNEEZY
DOPEY	JEALOUSY	WICKED

THINK ABOUT IT

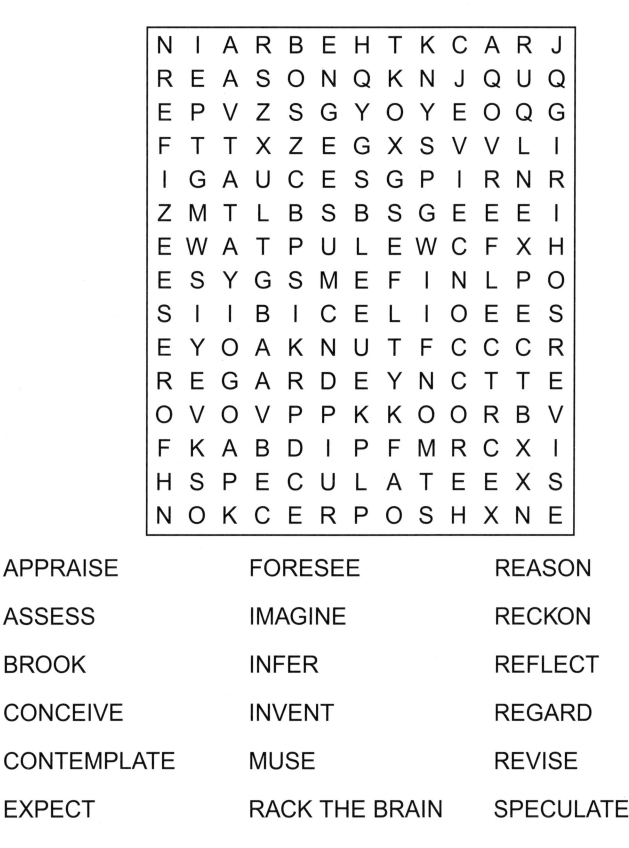

N	I	A	R	B	E	H	T	K	C	A	R	J
R	E	A	S	O	N	Q	K	N	J	Q	U	Q
E	P	V	Z	S	G	Y	O	Y	E	O	Q	G
F	T	T	X	Z	E	G	X	S	V	V	L	I
I	G	A	U	C	E	S	G	P	I	R	N	R
Z	M	T	L	B	S	B	S	G	E	E	E	I
E	W	A	T	P	U	L	E	W	C	F	X	H
E	S	Y	G	S	M	E	F	I	N	L	P	O
S	I	I	B	I	C	E	L	I	O	E	E	S
E	Y	O	A	K	N	U	T	F	C	C	C	R
R	E	G	A	R	D	E	Y	N	C	T	T	E
O	V	O	V	P	P	K	K	O	O	R	B	V
F	K	A	B	D	I	P	F	M	R	C	X	I
H	S	P	E	C	U	L	A	T	E	E	X	S
N	O	K	C	E	R	P	O	S	H	X	N	E

APPRAISE	FORESEE	REASON
ASSESS	IMAGINE	RECKON
BROOK	INFER	REFLECT
CONCEIVE	INVENT	REGARD
CONTEMPLATE	MUSE	REVISE
EXPECT	RACK THE BRAIN	SPECULATE

IRONING

```
T H A L J N Z V S W D A L
H E C E R K C W P X N K R
G M D R L H W V R T J I N
I S K I O F S F A I R E T
L J F R S C W T Y O N S N
T N E F M E S L N I B T E
O A Y Q U O S I L L Y E T
L H A L M C N R O A C A T
I D I R O G P R E T B M A
P D E C B N T Z W V L U L
M H E O O N H X P O E S F
T B A T O L T P O F C R Q
H R D C A X L W V Q L O F
D T E M P E R A T U R E Z
A O L O A W H Z R H I A X
```

CHORE	HEATED	SCORCH
COLLAR	IRONING BOARD	SPRAY
CONTROL	LINEN	STEAM
CUFFS	NYLON	TEMPERATURE
FLATTEN	PILOT LIGHT	THERMOSTAT
FLEX	REVERSE SIDE	WOOL

CEREMONIES

```
N O I T A R U G U A N I G
U K P W V Y C H A N O Y U
A M N B B D R E T P I N K
Y N V E L N R E S A B E E
N Q N Y E U J V E Q N J G
O J I I D A S Y I B R G N
M O F N V M D T F O Y D I
I P G Z D E F O R L S M N
R M A T S U R I S U R A E
T A X G E E C S B E M R P
A M L W E R I T A J H R O
M R J Z N A Q S I R R I Y
A I L A R E N U F O Y A W
D T H C T A L T O P N G X
L C I L X D A I M J O E T
```

AMRIT	INAUGURATION	MAUNDY
ANNIVERSARY	INDUCTION	NIPTER
CHANOYU	LUSTRUM	OPENING
DOSEH	MARRIAGE	PAGEANT
FIESTA	MATRIMONY	POTLATCH
FUNERAL	MATSURI	TANGI

"GRAND" WORDS

```
S N O S A D T D C P N P A
W P H W D Y H M N R D Z K
U Z N L R F S E O A O M U
V S T H E F T L T L T S J
M L O L I O Q Q A Y O S S
O A E J N D P N N T N B H
T M W A R C A E S V O P C
H G I C A C C I O Q E T J
E P D H M R J W C O G L W
R J R I A V P D Y L Z E D
Y I E L C N U I P P H C R
F N I D V Z V A H P V O Y
F I J R R U S M E B R R A
N U Q E O X B N O I U I K
F Z B N I E C E Q J J O X
```

CANAL	MARNIER	SLAM
CHILDREN	MOTHER	SONS
CROSS	NEPHEW	STAND
FIR	NIECE	THEFT
JURY	PIANO	TOTAL
LARCENY	PRIX	UNCLE

BONES OF THE BODY

```
Y Z I O P S M L J H Q L F
T F R H U M E R U S L D L
E J T L O U J Q W U O I A
E T A Q N D W Y K G G O H
T T A M P X C S T N V H T
A E C M K H M E I W V P W
N N A R A C A A B E M A P
U O I N A H L L I C R C U
L B L W N N S A A C U S R
S K H L L Z I H V N F Z R
F E R A U Z I U I I G S I
T E G E M E E C M N C E T
Z H M G R M S T V M S L S
B C I U A I E I L I U M E
J O R Y R R N R O L Z H U
```

CHEEKBONE	HUMERUS	SHINS
CLAVICLE	ILIUM	SKULL
CRANIUM	LUNATE	STIRRUP
FEMUR	PHALANGES	TALUS
HAMATE	RIBS	TIBIA
HAMMER	SCAPHOID	ULNA

ROMAN DEITIES

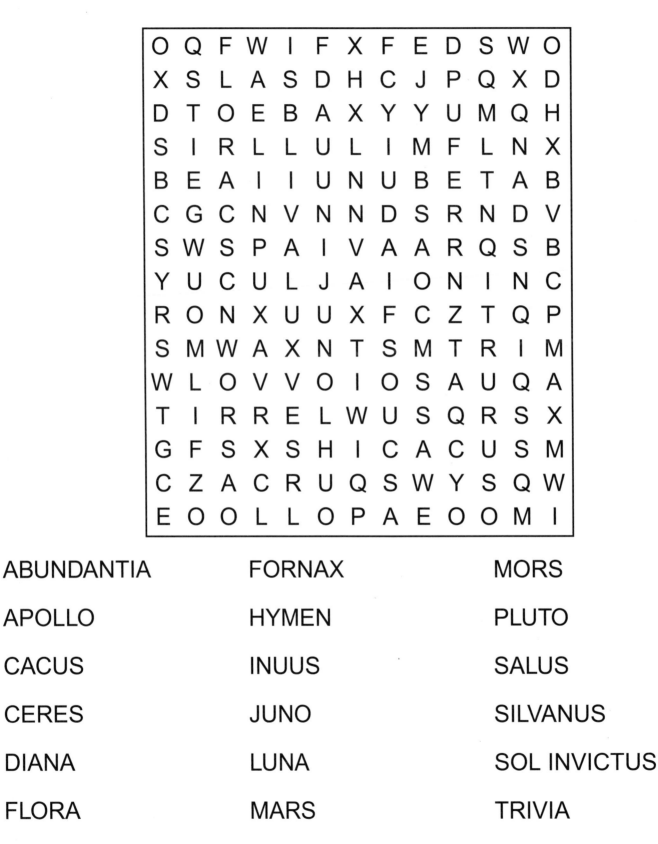

```
O Q F W I F X F E D S W O
X S L A S D H C J P Q X D
D T O E B A X Y Y U M Q H
S I R L L U L I M F L N X
B E A I I U N U B E T A B
C G C N V N N D S R N D V
S W S P A I V A A R Q S B
Y U C U L J A I O N I N C
R O N X U U X F C Z T Q P
S M W A X N T S M T R I M
W L O V V O I O S A U Q A
T I R R E L W U S Q R S X
G F S X S H I C A C U S M
C Z A C R U Q S W Y S Q W
E O O L L O P A E O O M I
```

ABUNDANTIA	FORNAX	MORS
APOLLO	HYMEN	PLUTO
CACUS	INUUS	SALUS
CERES	JUNO	SILVANUS
DIANA	LUNA	SOL INVICTUS
FLORA	MARS	TRIVIA

FICTIONAL PLACES

```
E N D V A E G N S D F A O
R G N N D I O G R A O I U
E E S Y A L P O G R D L D
W R M T A L F O S N I B A
H E E V E W Y S T R F W N
O H A R E P T O M U Z N A
N A R N I A F Y T I I Z X
U N N M F A C O F X M F S
D H L R E L D O R A D O B
A F T B W E A O S D L D Z
E N B O A A Q D R U N M N
R E F L H U Q O N A G K E
A H A Q I M B V H E Q L V
V L K R U X J O L E Z O K
I M M P I O R F N I K W L
```

ALALI	FALME	ROHAN
AVALON	HOTH	STEPFORD
CYMRIL	KLOW	TOYLAND
EL DORADO	NARNIA	UTOPIA
EREWHON	NEWFORD	XANADU
ERIADOR	QUIRM	ZENDA

PUZZLES

```
T O A X O K Z C D B M G P
S H C S A F M A Z E S K Z
T R I Z E Q D M Y E L O B
S E C N E R E F F I D I S
Q B S Q K V A C P D U Y T
R U P T S D L U O L N Z O
X S J N I U F N Q U M S R
C C W T E N E Z M S E E Y
I X A S E O G B Q X F S W
T I S M U S E R O W U S O
P Q E T V R F B I B I D R
Y T H C C N D T P D M Y D
R T O D O T T O D U S Z L
C R E D N E B D N I M H W
W B Y S N O I T U L O S B
```

BOXES

CLUES

CRYPTIC

DIFFERENCES

DOT-TO-DOT

GRIDS

MAZES

MIND-BENDER

NUMBER

ODD ONE OUT

REBUS

SOLUTIONS

SQUARES

STORYWORD

SUMS

TESTING

THINK

TILED

TURKEY

```
N E S T F P N I A D A N A
E S B W H X M H N Y Y M N
I D A M O U G R E A Q O R
R X B J E J Y O R T P W Y
E O E T N K C A Q A I P M
M Z K K L P S Z S H K X S
R I E D T A D I L G R K V
A K L M T K N I S M U A U
D A W A G O N K A X T Y X
N R L G P O Y Z C T A L Q
E A E I N H A F Q H T A P
G C Z U C M U T L U A T V
V K G K L T E F X S G N R
H A G I A S O P H I A A G
K T Y O Q I S T A N B U L
```

ADANA	HATAY	MUTLU
ANTALYA	INONU	RAKI
ATATURK	ISKEMBE	SINOP
GALATASARAY	ISTANBUL	SMYRNA
GENDARMERIE	KEBABS	TROY
HAGIA SOPHIA	MEZE	YILMAZ

TENNIS

```
C E D F M A B D B S Z L U
X S N G H I R O P X T O G
U H Y O N B O T U O Y E S
R A J A V D D K H N R M S
A R D Y E A D C A I C K X
L A T R G V I S W E R E X
L P B P S D C H D I R T J
Y O E Q E X K Q C L F B Y
R V V Z O M C J A S L F A
A A O S H L S I N G L E S
Q L L O S M C P D A R T K
J B L V Z E A E O G N I B
U P F E L Z C T Q Y A J P
C L D Y Y C B A C R Q M B
F V R M J T M F Y H V B E
```

ACES

ALLEY

BOUNCE

BREAK

GAME

GRIP

LOVE

MATCH

NADAL

RALLY

ROBREDO

RODDICK

SCHIAVONE

SETS

SHARAPOVA

SHOES

SINGLES

THIRTY

MUSEUM PIECE

```
Y R E T T O P B H X G T J
C I V I N F N L O N R L D
K G J E S E W T I O K A G
E Z R U S S I T U G K B W
E W W M A E S C O D L S M
R W E Z U E S C N P O T Y
G E K A R M I A Z A D R L
S O L E P I M O C I O A L
I L T I Q O M Y S M C C N
J N G B C W N P O N U T D
I A Q O E S L S A P M L G
G Y H N I A A M E P E J O
G G F E Y I O X R Q N S I
G O J S C R W E L E T S D
S T L U A V F E C O S N M
```

ABSTRACT	DOCUMENTS	RELICS
ANCIENT	GREEK	ROMAN
BONES	INTERESTING	STELE
BOOKS	MOSAIC	TUDOR
CASES	MUMMY	VAULTS
DISPLAY	POTTERY	WEAPONS

AIRPORTS OF THE WORLD

```
H A I A W T E Q D G C T N
C C M B C K T J W Z H G S
I E A E P L A Z U P A O Z
N J I N M F N R U D R C H
U S M G M C I F P C L L K
M Y S A N C L E E Q E A N
H D L L H A C D T H S K E
A N Q U L D H A W T D K G
N E H R D O N C R Y E O R
E Y S U W B G U X R G K E
D U Q T Q S P A H P A G B
A U G I P F J F N D U N L
D G B H Q A S N E P L A M
C K N A B R U B F J L B U
A O Y J I Z A L J N E F L
```

BANGKOK

BENGALURU

BERGEN

BURBANK

CHANGI

CHARLES DE
  GAULLE

DUBAI

HANEDA

KASTRUP

LINATE

LOGAN

MALPENSA

MCCARRAN

MIAMI

MUNICH

ST PAUL

SYDNEY

ZURICH

JESUS

```
E S T F K Z Y Z J Y R A M
R S S H E P H E R D S B L
I S N A M O R H N U T R R
A E J D N U T W V Q B E F
L L C N S G A J B F X P Z
S P U A K X E P C V Y P B
E M L K T I Y L S A D U J
R E R Y J R B U Z A T S M
M T T E A D F Z I R V T N
O M K V M E S S I A H S E
N U L Y E J A A J L J A M
L A G D S G L P J S O L E
C A P O N Q U E W F H O S
K W W E L Q B C N L N Z I
K R M A G D A L E N E M W
```

ANGEL   JUDAS   ROMANS

CALVARY   LAST SUPPER   SERMON

GOLD   LUKE   SHEPHERDS

JAMES   MAGDALENE   TEMPLE

JERUSALEM   MARY   TRIAL

JOHN   MESSIAH   WISE MEN

RIVERS OF CANADA

```
S E Y A H L Q R X A J B T
V S A S K A T C H E W A N
U Y V B A Z W P J H Z S N
P V A J H E H Y E C Q P G
F V J N M L I E L L U G R
Y C X V E T T N A N L E J
C A O A P T E Y O G I Y R
A F L P E A O S T I L I Y
B P J N P B R O F A U E I
P X I N I E B E K J O K B
G R A N D F R A S E R U U
H K S N S I V M Z C A S R
V M A I L R T L I A R D N
E Q Z W E C A E P N T O T
N A Z A K T C P H F E Y U
```

ANDERSON	FRASER	LIARD
BATTLE	GRAND	PARSNIP
BURNT	GULL	PEACE
COPPERMINE	HAYES	PELLY
EAGLE	KAZAN	SASKATCHEWAN
FINLAY	KOOTENAY	WHITE

FRUITS AND NUTS

```
O Y Q G X N A M X N X B D
G R A P E F R U I T Y N Y
I T A E V M M D C K I X R
E U N N E T W N R P P R R
T C L A G N I U A A C A E
A U X C R E I M N T C L H
D G N U M R A R U Z D E C
O L S B R T U N A E Z G P
N X D N O O H C R T K L T
K J P E A C H B K P C U R
J I M S E I E P D C N E N
W I W E V R B K E L A O N
L K B I R P X I A A C L N
H P W Y A A L W Z T C Y B
J R N I K P M U P J H T M
```

APRICOT	ELDERBERRY	ORANGE
BEECHNUT	GRAPEFRUIT	PEACH
BLACK CURRANT	KIWI	PECAN
CHERRY	LIME	PUMPKIN
COBNUT	NECTARINE	TAMARIND
DATE	NUTMEG	WALNUT

WORDS ENDING "EX"

```
E X E L P M O C X H P X S
X X E M P E X T A E E Q X
P E F U H O X E R T B C E
O R V X N Y L S A X J I L
N S E N A I P L O E R A E
T X P H O E S U E P X Z T
I E B A X C X E U X E I R
F N X E N E A K X E X I E
E Y I E D N O U H E L H X
X I X N O E E E D V T E T
E E A X E H H X X E L M M
P P T X E S S U S F X U L
S N A R T H E X E E D R U
A G H E O E E R J X Z E C
X E D X K V X O A P E X E
```

ANNEX	LATEX	REFLEX
APEX	MUREX	SPANDEX
CAUDEX	NARTHEX	SUSSEX
COMPLEX	PERSPEX	TELEX
CONVEX	POLLEX	UNISEX
IBEX	PONTIFEX	VORTEX

GOOD-LOOKING

```
I J X A P J R N T D K M W
D N A R G A C R W B A M G
E C F E F Q A C O N D R E
L M C A T M T N I Q I N E
B P O Y S U N E P J I G T
A S H S N Y C R K F C S I
N O A O N T Z J I Y C U S
O Y X L T I S R M A P O I
S X R O A O W H E Y F R U
R D A U L C G U A P X O Q
E A D I Z O I E N P P M X
P N I A R E V O N Y E A E
C D A K C V A E U I V L D
Z Y N V F W G T L S C G Y
C D T E R H S I L Y T S V
```

BONNY	FINE	RADIANT
CUTE	GLAMOROUS	SALACIOUS
DANDY	GRAND	SHAPELY
DAPPER	LOVELY	SMART
EXQUISITE	PERSONABLE	STYLISH
FAIR	PHOTOGENIC	WINSOME

SHADES OF BROWN

```
B T G T I A L U A E F A C
C R E K Y D N A V R A F W
K E E A Q C L A H Q O B H
A N R B K S A E H O V B G
G O X E M B I R Z C N D F
V T V I D U A J A A O E F
P H K G J W T L L M H M Y
S T N E U F O N M J E U D
M R Q M Y A A O R U T L K
R A B P O A T V D U D H H
Y E R C F P M R A W B D V
R N O G F X E L I D G V Y
J C W A G S A B P S F L P
C Z K A N H L O E C M M M
J Y D Y T X D U S K Y P J
```

BEIGE	EARTH-TONE	RAW UMBER
BURNT UMBER	HAZEL	REDWOOD
CAFE AU LAIT	HONEY	SEPIA
CARAMEL	MOCHA	TAWNY
COCOA	MUDDY	TEAK
DUSKY	OATMEAL	VANDYKE

RUSSIA

```
S V H M T X T Z B P G F J
A Q L P M H O P F L R P N
I M D W E U R G A F O W A
N V R G S B R D E N B O H
E I U L K R Z M S F Y C K
R M L U A U R V A T V S A
A I X M S K O B R N T O R
U G M X E T E B A U S M T
Q A L H S R F L K F V K S
S N V O G J K R A U H F A
D P R E V T I K Y D I F Y
E S T B A S I L S F O A T
R A I R E B I S O Z U G W
A L H U T Q Z Z I Z F W A
P W H Y T I C R A T S O E
```

ASTRAKHAN	MOSCOW	STAR CITY
FABERGE	MURMANSK	SUZDAL
IRKUTSK	RED SQUARE	THE GUM
KARA SEA	ROSTOV	VOLGA
KREMLIN	SIBERIA	VYBORG
LAKE LADOGA	ST BASIL'S	YAUZA

DIAMONDS

```
J M T U C E L B A T A G R
O I B L G R C Z U C A G O
H A T T O N G A R D E N O
A H H V E G K A X K M W N
D W G F L A W L E S S T E
H M I U B Y F X L E N E Y
G X E L O B T U R A C M A
L E W E J R G I D A W Z Y
C U L L I N A N R E D C R
F U A A W T E A I A B S A
A H G O I P T V O N L J D
C W R L E S N P C O I C P
E C O J E S I U Q R A M O
T S X O R E L D R I G A H
E Z A M S T E R D A M Y A
```

AMSTERDAM	FACET	MINING
CARATS	FLAWLESS	PENDANT
CLARITY	GIRDLE	ROUGH
CROWN	HATTON GARDEN	SOLITAIRE
CULLINAN	JEWEL	TABLE CUT
DARYA-YE NOOR	MARQUISE	WEIGHT

TRACTORS

```
F O G T D V U B T C W X Q
N S A D P A B N P D C Y Y
D F V E C L Q H S F N B X
E E V W X T S O K T U E T
C H V U R R M J Z K E R F
A E V L B A Q C H E M Y Z
T J T F J M Z I Z D T V R
O X V R J Z E S Z S Q O B
B T V M I S U R A L E B R
U Q H E A A M H H A R H G
K C M C R H V J N N L P R
Y A E S T V B S M D Z C I
S J R J D Y A C J I M F M
W Q L O C X H E P N C Z M
B K O L C B T P T I E D E
```

AIRTEC	FENDT	SAME
BELARUS	GRIMME	STEYR
BUKH	JCB	TAFE
CASE IH	KUBOTA	VALTRA
CLAAS	LANDINI	VERVAET
DEWULF	MERLO	ZETOR

OBSTINATE

```
U N B E N D I N G B D Y C
F F I T S P I F D I I W W
G S U D X E I G N X E D T
N T D L P X E F I D H N R
O U N E E G L Q E R A U T
R R J D L E D N Z M R O J
T D P L X L I O A P D B A
S Y H I M M I D U I Q E Q
D D B F R U A W B R K D F
A L S E V E L P F J B I W
E Y T U X R U I C L V H S
H E M R I F M L S N E Y G
D H X D O G G E D H C S L
I N T R A N S I G E N T A
R S U O I C A N I T R E P
```

ADAMANT

DETERMINED

DIEHARD

DOGGED

DOUR

FIRM

FIXED

HEADSTRONG

HIDEBOUND

INFLEXIBLE

INTRANSIGENT

MULISH

PERTINACIOUS

RIGID

SELF-WILLED

STIFF

STURDY

UNBENDING

FASHION DESIGNERS

```
X Y E U K D R N W M S N W
N S I J I N I G X O E E Q
N V D O X C U G T E M Q W
P G R M C J M R R D A E Y
P X A I I B X G P C J O U
D W R I A Y T R M B H I K
L D E C W Q A I C J Y O I
E Y B Q U D T K Y L E Y O
I V S A A Y V H E X L C E
F J N A L X R E C X H M Q
D T E V S Q C Q K L S V W
L F L T K S X M V R A Q Y
O P L O U B O U T I N R B
S E I M A N X O Q K I Y K
U P S D G L H P N N K P T
```

AMIES	ELLIS	OLDFIELD
ASHLEY	GREEN	PRADA
BERARDI	JAMES	QUANT
CHOO	LOUBOUTIN	RICCI
CLARK	MIYAKE	SASSOON
DIOR	MUIR	YUKI

INTELLIGENCE

```
D M R E V E L C R M Y D X
W E C L E V S D O M N S K
P M L X G K H D J N I L A
Z R R O S L S J V V A Q Q
E E A O O I A R Z T R W T
F A E H W H C N N R B H S
D S Y D S Z C E O U G S M
W O B T U J M S E I E G Y
E N Z D I C Q G R N T C G
R I G E T C A B E Z U A P
H N C R Y P A T A N O E R
S G A O D G U G E E I T M
Z M Z T J C M E A D K U R
S O T U A E L B I S N E S
L A U T C E L L E T N I T
```

ACUTENESS	INTELLECTUAL	SENSIBLE
BRAINY	MENTAL	SHARP
BRIGHT	RATIONAL	SHREWD
CLEVER	REASONING	SMART
EDUCATED	SAGACITY	TUTORED
GENIUS	SCHOOLED	WISDOM

RAINY DAY

```
X J F P G E W P V S M J Q
R E W O H S M E E K R S K
A L F I M A K H Q O O S N
H O O D D Y S R Z G T E A
S F I X V O P G D T S N D
S O U B L X R N R S G T N
T O R A E O I E N V A E G
E R G P H C N I E S D W K
L P D J A C K E T D M A R
P R A E H S L D O U R Q S
O E Z C L G I S F O P C P
R T O I D U N M N L N W L
D A O V J D G A N C S K A
T W W F A L L E R B M U S
C G P O Q V R G A C H X H
```

ANORAK

CLOUDS

DAMP

DELUGE

DROPLETS

GALOSHES

HOOD

JACKET

OILSKINS

SHOWER

SODDEN

SPLASH

SPRINKLING

STORM

TRENCH COAT

UMBRELLA

WATERPROOF

WETNESS

SEVEN-LETTER WORDS

```
K S B O P V K D X T P D K
L Y A M Z F R O T C A E R
E O F F B E A T E G F M Y
T U F O Q F H L R O S Y W
T N L G N I O G N O O Z Q
E G E R S P H R E R S M G
R E D G D S H O T H F P B
S R J A I X V S M U L T T
S H T R W X E T G B N R I
S U U R B D E Y A A E E D
K O B K A T V F A R I B I
N E B I A N I U V B G L R
Z C I U N U S U A L H I V
O R O W K M U I M R E F X
B U A V H R O V T D D V P
```

BAFFLED	LETTERS	REACTOR
DESTROY	NEIGHED	RHUBARB
EXIGENT	NOURISH	TADPOLE
FERMIUM	OFFBEAT	TRANSIT
FILBERT	OMNIBUS	UNUSUAL
FORTUNE	ONGOING	YOUNGER

"TOP" WORDS

```
B R E S H I I H Z S U K S
X A E C V D C V R S T S L
O C N H T T U H T A E A R
B F O A O F S U J L R L H
H L T N N I K C I C G E J
E R L H R A Q O Y E K U N
R P N G E B S U A H I T R
L S B N D R X R A A D J E
L B A S B Z A Z T L A H F
I T C I C S M N H E I M S
B Y Y Q L I H A G N O T R
E E V I T U C E X E O Z Y
H K A A C G Y C L N Q S C
T L S F E L X Z E F Y A E
S S A R B H D Q K O T H R
```

BANANA

BRASS

CAT

CLASS

EXECUTIVE

GEAR

HAT

HEAVY

HOLE

LESS

NOTCH

OF THE RANGE

QUALITY

SAIL

SHELF

SOIL

STONE

THE BILL

ARCHITECTURAL DETAILS

```
L D P I D Q N D W X R D V
R E I P E D A C A F D O P
Z C M J W A I N S C O T X
E Y V B N T H H W S M U E
T R R U L U T Z C T E A L
Q O I B C F N Z U R M E I
Q F W P E I I U S U A M T
T P L E S V R G T T C A S
Q R E M R C O L U M N R X
V M A W Q R C C N U E M S
V E E Q Q S E F L T D I L
B O E E X P P D F A S E L
A L D I T N Z A N V C D A
E P R A C D R B T E U A W
C F E G D I R B W A R D L
```

ALCOVE	DOME	SPIRE
ARCH	DRAWBRIDGE	STRUT
BEAMS	FACADE	TILE
COLUMN	PIER	TOWER
CORINTHIAN	RAFTERS	WAINSCOT
DADO	RENDER	WALLS

JAMES BOND – WOMEN

```
E L M A T K I O X F Y S A
H E L G A B R A N D T C D
N R E P M U H T J V Q H G
Z K W A I L I N N I M D A
Y T B D U V Y C N A N E M
V A G P B A O W E A L X K
O N P E S F K N I D O C X
L C R S Y X I N C R A M M
I N T S N R B B E S C I I
M Q H O E L Z O S L S W M
A V S V P E X E N S A A V
R Q E G P U N J T I Y V I
A S U Q Y A S A P D T N A
K A K I V G R S A U B A S
J X U O V O M Y Y B G X U
```

AKI	KARA MILOVY	OCTOPUSSY
BAMBI	MAGDA	SEVERINE
BONITA	MAY DAY	THUMPER
DINK	MISS TARO	VALENKA
HELGA BRANDT	NANCY	VANESSA
JINX	NAOMI	WAI LIN

ARREST

```
V S N T P O V D G X Q E M
T R G A D B B N U O E T E
X I F H B S O E M A L I T
V M N Y T T O H S P Z Y S
T P R T L R K E D R T T O
S E I Z E U W R S X L F U
L D P U K C I P F A I T A
S E U D G T B P H H Y V W
P T U D L L X A H C Z W Q
S D N U O O E R U T P A C
T L E C S L H O E A W U B
A A K T C O F Z B C R B V
L H K U A P A R P O Y Q S
L L W E G I D K C E H C Q
A I D K A Y N Q T H K S D
```

APPREHEND   DETAIN   OBSTRUCT

BLOCK   FIX   PICK UP

BOOK   HALT   SEIZE

CAPTURE   HOLD   STALL

CATCH   IMPEDE   STEM

CHECK   NAB   TAKE

37 **CAPITAL CITIES OF THE AMERICAS**

```
A N O E D I V E T N O M G
H S A E S O J N A S L U S
X O X U E C T H A V A N A
O L T N J R B C S T W R N
M B N I G N A G E O A O O
C B I Q U R A M J T F B I
A E E R A Q A S O T S R C
Y Y L C A L P G K A V A N
E A V F A M O X N W Z S U
N Y O C D B A T P A L I S
N S I O X D I R S E E L A
E T M A N A G U A L S I V
Y A T O G A U Q D P I A B
W N W O T E G R O E G M T
Z A P A L L T H M T B B A
```

ASUNCION	GUATEMALA CITY	OTTAWA
BOGOTA	HAVANA	PARAMARIBO
BRASILIA	LA PAZ	QUITO
CARACAS	LIMA	SAN JOSE
CAYENNE	MANAGUA	SAN JUAN
GEORGETOWN	MONTEVIDEO	SANTIAGO

CREATURES' FEATURES

```
M A T L S S K C O L T E F
E W B G Y K J A E C T N Y
C S S W A L C A N M R H R
A N T E N N A E S C O N Z
P W R Z N B A I H A T K M
A W I K R A C H E T T O S
R L O K O S M K A A E N M
A J F O O N W M D L R E G
C G F B L V J A I O S U E
W U O I J C B A H N V A K
R R C V D D T L O S H A O
P E N E O N A C O S E A M
G H K M Y A O Z V B E I Z
Y J E B M O C D E C S E L
U N V P E I L L S V E T K
```

ABDOMEN	COMB	MANE
ANTENNAE	FETLOCKS	PROBOSCIS
BEAK	FUR	TAIL
CARAPACE	HEAD	TALONS
CLAWS	HOOVES	TROTTERS
COAT	HORNS	WOOL

INDIAN TOWNS AND CITIES

```
B A G Q N U H N G B B J U
Z E B X N A T L A H P P O
X J Z M Y U M O G S B K Y
Z H V Q A W R A T F H R X
N A G P U R O U D H A I B
D N G C A X A Y S J P N K
A S O R Z X A P K Y K P N
R I P X A L P O I N M A X
A N T A P X T B K L U E K
D A A R O A Z M F P A B T
O D N H I N D O R E U T U
D E L G R A S T K U M N R
A L P T U J R U N P K H E
V H R C O L L Y R P U M E
T I H M Z A T A K L O K M
```

AGRA

ANGUL

DAMAN

DELHI

INDORE

JHANSI

KOLKATA

MEERUT

MUKTSAR

MYSURU

NAGPUR

NASHIK

PATNA

PHALTAN

PUNE

RAJKOT

TALIPARAMBA

VADODARA

SAVING MONEY

```
S H R E L H G K L M H G B
O R K S X V N N E Z J V I
G E E L R I O N I G F F C
M E W F T E D U N W X A Y
D R T T F I G I C H E B C
S I I E N O Y D A H P S L
P N S G R U R G O S E E E
G I B C B A G B M L Z R R
V C G K O L H A A I B J S
A O L G I U R S S W A P S
X U M N Y K N N R A U E F
B P G U E B W T W A U D I
B O H T S O A N S E C B S
T N A L D M W N V Y L T B
N S S I R G N I K L A W E
```

BICYCLE	HAGGLING	PIGGY BANK
BULK BUYING	KNITTING	SALES
CAR SHARE	LODGERS	SEWING
COUPONS	MARKET	SWAPS
DISCOUNTS	MENDING	VOUCHERS
DOWNSIZE	OFFERS	WALKING

"C" WORDS

```
C T U N O C O C R C S A C
N H C Y L C S I I S X T I
E C O T A D C T E M E N C
T C U R G C A N U C A A L
C Q B G E M E E I M W Y E
U O F E E T F R A W F O P
C A Y N U Y T O E J R V L
K E I C H A E B R A U R C
O C M F C I L L C U L I E
O A C I R C U I T R Y A C
C B C E H C L U M S I L Y
F N T R T C C E C Y A C C
C O N T E M P L A T E C I
C E L O J A C O D I C I L
C U C A B O O D L E N U C
```

CABOODLE   CICATRICE   COCONUT

CAJOLE   CINEMATIC   CODICIL

CASTLE   CIRCUITRY   CONTEMPLATE

CEREAL   CLAIRVOYANT   COTERIE

CHIME   CLUMSILY   CUCKOO

CHORE   COBRA   CUTENESS

GARDEN POND

```
R E F L S D D R O A D S Z
N L H K C S H E T R E A L
F Y C X T P F F S A O O B
B O K A M U L G D I O J S
R D T Y Y O K A D P G K T
G U N X B L R P N C L N O
E N U R E F L E C T I O N
K Y L F L E S M A D S Z E
F P I A B D R Z L O Q Q S
R O E T U B I N G P J N M
K P G S H E P D A T U T S
L K R T I I P R E H O M U
P X P A O S L H D A P L P
T E A J C S E H D T V M E
D L N K T C A S C A D E S
```

ALGAE	KOI	RIPPLE
CARP	NYMPH	ROCKS
CASCADE	PLANTS	STATUE
DAMSELFLY	POOL	STONES
DEPTH	PUMP	TOADS
DESIGN	REFLECTION	TUBING

CLASSICAL MUSIC TITLES

```
D A F E S Y E B R O A S E
H Z D A C R N S P V I Q R
Z N I L J S A C I O R E R
T B T A B P U M R L E F V
I F H Y P V T R O V B I T
N C F H S U U L B U I N V
T Y O O E Q M O A S Y L P
A D B S L J N L T G N A A
G I W U E L S Y R Z G N R
E N L N T J E E S E P D I
L A S E E T E H N I J I S
P T M V R P A S T O R A L
P I L Y R A A X T O J Q D
X T O L S G K E W E X N H
X T E N A V A P E A P Q H
```

AUTUMN	LINZ	PEER GYNT
EN SAGA	MARS	SAPPHO
EROICA	OTHELLO	TABOR
FINLANDIA	PARIS	TINTAGEL
IBERIA	PASTORAL	TITAN
KARELIA	PAVANE	VENUS

BIRDS OF PREY

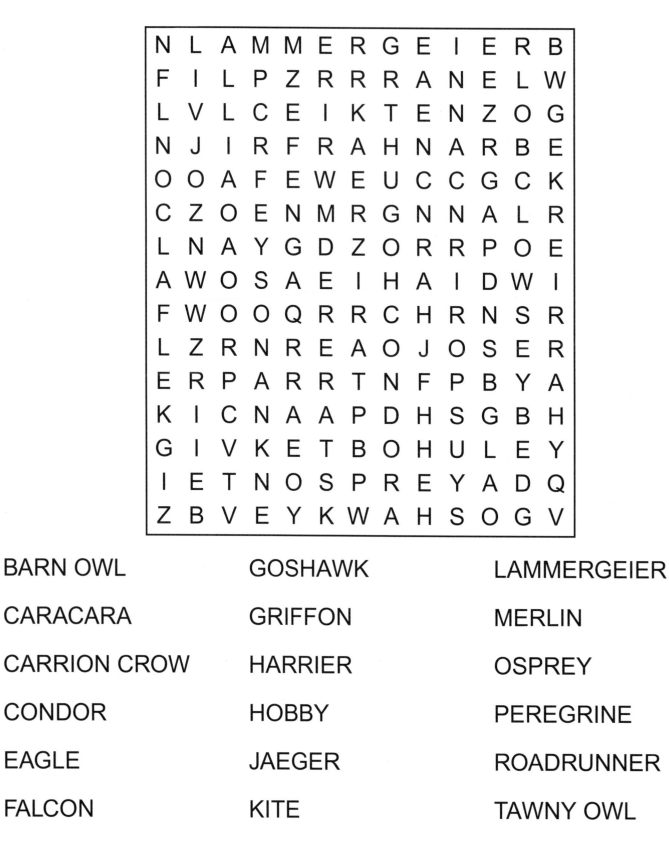

```
N L A M M E R G E I E R B
F I L P Z R R R A N E L W
L V L C E I K T E N Z O G
N J I R F R A H N A R B E
O O A F E W E U C C G C K
C Z O E N M R G N N A L R
L N A Y G D Z O R R P O E
A W O S A E I H A I D W I
F W O O Q R R C H R N S R
L Z R N E A O J O S E R
E R P A R R T N F P B Y A
K I C N A A P D H S G B H
G I V K E T B O H U L E Y
I E T N O S P R E Y A D Q
Z B V E Y K W A H S O G V
```

BARN OWL	GOSHAWK	LAMMERGEIER
CARACARA	GRIFFON	MERLIN
CARRION CROW	HARRIER	OSPREY
CONDOR	HOBBY	PEREGRINE
EAGLE	JAEGER	ROADRUNNER
FALCON	KITE	TAWNY OWL

FAMOUS NEW ZEALANDERS

```
N T V I T E Y D U D B B X
O E O T D R N I C B M S N
T R C P I C K E R I N G Y
R A O I E K T O W E Z E D
O U L K C A F N I O L Y E
M P T D E W R T Q S B I Z
Q A U H A T S N C D E O
Y R H K E A P I E L Y E S
U A E Y W R T S O M X Q B
W H H E H I F G N G A T A
C A Y P X P L O L E N Z N
H D U E A Y A S R B L P X
M N Z X R Q K E O D U L E
Z U P N C G Z J H N Q C L
T K M H A Y W A R D N K K
```

ALDA	HEAPHY	SNELL
BOWEN	MORTON	TE RAUPARAHA
BUCK	NGATA	TINSLEY
GOLDIE	PEARSE	WAKE
GREY	PICKERING	WATTIE
HAYWARD	RUTHERFORD	WILSON

CLEANING

```
A K X P G N I B B U R C S
W U A R H N I K G V A U X
A O E S B A F A O H M E P
S I N U U R E P Y C O E A
H W K Z C D O R A V A D G
L O B B M E S O Y A R P S
E I V R Y H B N M T S O C
A W M E U X M S A P S E D
T L R E R S S P O M N N W
H U A V S A H T F D I E C
E J M E X C L U T Q A H L
R M P A R E A L Y L T S O
G I W O S J B L S R S E T
W B L S K Z P F E X M R H
S J D Q C Y E K C D J F D
```

APRON	LIMESCALE	SPOTLESS
BROOM	MOPS	SPRAY
BRUSH	OVERALLS	STAINS
CLOTH	SCRUBBING	SUDS
FOAM	SOAP	WASH LEATHER
FRESHEN	SODA	WIPES

NOISY

```
D I Z D H H J P V B B P K
E R U H R T M I J J E P R
E H U G Y A L N L A J L R
T P V M L K R G L I I Y J
H I S S M A N I O H A O F
R G D R E I N N F E P W F
C Y N A O G N G P C C L I
H S X I B E N G T D F W B
I H Q R T S E I F S F Q X
R D A U P E D J Q N A D C
R Y H M C Z P K C F J L Z
U B O R R X N M Z O I B B
P T A J W O Q K U N A Z X
S L O N C Z L K K R X R Z
B N N K G S E R K L T O X
```

BANG   DRUMMING   SLAM

BARK   FIZZ   STOMP

BLAST   HISS   THUD

BRAY   KNOCK   TRUMPETING

CHIRRUP   PEALING   WAIL

CLINK   PINGING   YOWL

"HA", "HA", "HA"

```
D  E  L  I  O  B  D  R  A  H  B  H  H
H  V  L  A  H  A  M  D  A  C  A  H  A
A  F  E  I  H  C  R  E  K  D  N  A  H
H  A  Z  A  R  D  H  A  R  V  A  R  D
Y  A  A  R  B  A  T  O  R  H  A  G  R
E  H  H  D  E  T  N  U  A  H  L  H  E
A  H  A  Y  H  A  L  I  F  A  X  A  G
H  A  B  S  O  Y  L  H  A  L  B  Y  N
H  H  H  K  E  S  T  A  Y  L  T  H  I
A  U  I  V  T  H  H  S  P  A  L  B
V  P  R  O  A  S  A  A  A  R  R  A  R
L  A  N  U  H  R  W  E  M  H  T  A  A
H  E  L  E  T  A  T  I  L  I  B  A  H
A  M  Y  L  I  H  N  H  A  N  C  A  V
H  A  F  I  B  G  A  H  A  J  I  A  H
```

HABILITATE	HARD-BOILED	HASTY
HADRON	HARMING	HAULM
HAILSTONE	HARPY	HAUNTED
HALIFAX	HARSH	HAWAII
HANDKERCHIEF	HARVARD	HAZARD
HARBINGER	HARVEY	HAZEL

THE CHRONICLES OF NARNIA

```
S V K V I I Z G U D R R N
R E D A E R T N W A D A I
M E L S K U A O P S L M Y
X K L T O F R M K S L L G
S U N I T L O V A N O E I
O Q B U D A D O A N N T N
O Z G W O W B I U G D T A
I V A I F R R D E R O U R
Y R B N E I E W H R N C R
V W H I T E W I T C H Z B
R A B N D P N O U W Y A R
O Z R M O C F L T S S D I
V N U D E Z Y D Y E K T K
Q N N I A R T Z A R I M A
D E X G K N C F I U I C L
```

ASLAN	MIRAZ	TIRIAN
BATTLES	OREIUS	TRAIN
DAWN TREADER	RAMANDU	VARDAN
EDMUND	RHINCE	VOLTINUS
GINARRBRIK	SOLDIER	WHITE WITCH
LONDON	TELMAR	WORLD WAR

THE NORDIC REGION

```
Y S E A D R A M M E N S Y
I A K S D R O J F V N A W
B D W A V O A T O B Y V E
V N N R G J T B S J I W H
M A A A O E L S L B H T H
M S N B U N R B O A R A D
O N S N H M T R N X V P N
U A U P E A G G A A E S U
N I J L Y R I M R K Y E S
T T L O M K N T V W S K E
A S R F J W I N I T S S L
I I L O G O A M K Y N H A
N R T T M L N J E E M A T
S K G E U S S W D L I O D
P A I N E D O O L D N P G
```

ALESUND	LJUSNAN	OSLO
DRAMMEN	LOFOTEN	SKAGERRAK
FJORDS	MOUNTAINS	SVALBARD
HANGIKJOT	NARVIK	TROMSO
HAVARTI	NORWAY	VANNERN
KRISTIANSAND	ODENSE	VIBORG

YELLOW THINGS

```
W O A D P E T A L S G A K
N N E M O L C H E E S E L
P E W B P D E G N O P S O
R V W E Y R A N A C S Y Y
E E O Y M V I K N A A M G
M N S G O U N M X R L X G
M U Z K P R E P R A U N E
A D J R C Z K O E O I O T
H D F L I I W T Q S S L U
W N R A B I H F A L E E L
O A M A O P J C E X L M I
L S O B T K B M T T I I P
L G N I L S O G A E L O P
E J X O A N U G Q T S N D
Y Y S N O S P M I S E H T
```

CANARY	MAIZE	SPONGE
CHEESE	MELON	THE SIMPSONS
CHICKS	MUSTARD	TULIP
EGG YOLK	NEW YORK TAXI	WOAD PETALS
GOSLING	PRIMROSE	YARROW
LEMON	SAND DUNE	YELLOWHAMMER

FAMOUS AUSTRALIANS

```
P R H R E A D Z N X C E D
A Z E U O Z V X G A A Z B
T B Q K M F H O S A G R X
T N V H C P L H D N E O Y
E N A Y E A H Y A N A S H
R U G H V L P R N C E P O
S E Q E P Y F O I N M B B
O S R C E I B G B E A J K
N W X O A B L J O M S K C
Y O A M R F P O F T I X F
B L A N C H E T T D T E R
M L L K E P L W M Z T A A
A O U E N Z H A O O G O S
B H K F K Z N S Y R A S E
E R M G I R E Z R D C E R
```

BLANCHETT	HELFGOTT	LAVER
BONNER	HOGAN	MABO
CASH	HOLLOWS	OLIPHANT
CROWE	HUMPHRIES	PACKER
FLYNN	KELLY	PATTERSON
FRASER	KIDMAN	PEARCE

"IF" AND "BUT"

```
B U T O E T U B Y S G E B
Y I Y F B B U T Y A I F U
F E I B U T T E R C F I T
I W F I T R F I W K T N D
L D R P T N F I N B Q K E
P R E W O L F I L U A C B
M T B I N G N I T T U B U
A U U B F C W R F H W F T
T B T B C I I I U E U F S
U I T U N B R F F B U I T
B L A T U D O R I F U U U
G A L T A T U B E C I Q B
I H A Z T F I R H T A O Y
F R Z T U B B I K I F P F
Y B U T I F P S T U B F I
```

ADRIFT

AMPLIFY

BUTTER

BUTTING

BUTTON

CAULIFLOWER

DEBUTS

HALIBUT

KIBBUTZ

KNIFE

PACIFIC

QUIFF

REBUTTAL

SACKBUT

TERRIFIED

THRIFT

TRIBUTARY

WIFE

COAL MINING

```
C Y I C I F Z Y E L M O T
U A P E Z N H I E O T U W
E H G R X G S U X Q N I S
T R D E H W F P R N B Z N
I E E D G A M N E G Y X O
C T U S E N R L Z C V J I
A J N P C W I D U T T T B
R H S E M U Z D H H V O P
H C M T D N E N O A J Y R
T N I H O I S T E O T F B
N E N M P O C A N D L E S
A B E A H N K C I U J F A
O N R O O F B E A M W D V
Y Y S A I R I N G S I T A
T I S O P E D M W T S G E
```

ACCIDENT	DEPOSIT	MINERS
ADIT	FLOODING	OXYGEN
ANTHRACITE	FUEL	RESCUE
BENCH	HARD HAT	ROOF BEAM
CAGE	HOIST	TUNNEL
CANDLES	INSPECTOR	UNION

STRAITS

```
M V W A L U M N S S F D M
S M A C A B O T X S S A J
B E S S T M F V D C E A K
Z B E D N A M L E B A B B
S B G A Y X I G O H T I H
K U K A R A E W G R P U J
S X P J E O A Y A C I M R
F U D I R W J N K N L D S
G T N G R O X T I D F M A
R R I D H U U C G S V X K
D A R D A N E L L E S E M
W C S V A S M P Y R R E V
A D O V E R A L G C N Q M
L C S O E L S B H A R H W
K W N U K D A V I S D O W
```

BAB-EL-MANDEB	DOVER	KERCH
BASS	EURIPUS	MENAI
CABOT	FLORIDA	MESSINA
COOK	GEORGIA	PALK
DARDANELLES	KANMON	SUNDA
DAVIS	KARA	TAIWAN

DOUBLE TROUBLE

```
Y V D A G A G C J Y S I T
C L J S T O H S T O H V R
O N A Y O I U F U L U L E
U F M N C S I T R C J C B
S Y A H G F O Y U F F I R
C M I Q Y Y T A R T A R E
O E Y T E A L O S B H I B
U S F D O Y U A B A R P E
S I Z J W F O Y N M Q I T
F Q L L R S E Y C G L R K
K X M O H B C Y O W S I T
N H U P Y O S Z A I M P A
O L N E W M Q K L E Z A I
V I L W X L Y U I P Y P L
I R E B I R E B S A U A G
```

AYE-AYE	FIFTY-FIFTY	PIRI-PIRI
BERBER	FROU-FROU	SO-SO
BERIBERI	GAGA	TARTAR
BYE-BYE	HOTSHOTS	TUTU
CHI-CHI	LULU	YLANG-YLANG
COUSCOUS	PAPA	YO-YO

DESERTS

```
F E R V R L Z B B Y I A D
C Z K A Z I C B I W U C Z
S B W G H T V P Y M E C M
K Q O W C T C A I P A O N
H B N H L L D I K T J N A
I C S B P E O N P A T A R
A H Y I N S P T V P Q T O
U I R E D A A E W K M A N
H H I B Z N Y D B U T C O
R U A Q N D E B K L V A S
M A N A P Y Y L I Y V M Y
C H F P F J Y T A L S A Z
L U E A F Z S E C H U R A
D A H K Y A L D A H N A F
G N U K G D R I Q C T Z K
```

ACCONA	HALENDI	NAMIB
AL-DAHNA	KAVIR	PAINTED
AN NAFUD	KYZYL KUM	SECHURA
ATACAMA	LIBYAN	SONORAN
CHIHUAHUAN	LITTLE SANDY	SYRIAN
GOBI	MOJAVE	THAR

STRONG SMELLS

```
F R D S D D P C J L N X X
Y R E S A L L A I V T C C
M E I D D G V L K C S B I
O B N E N I E I S L A A L
T B K V D E H L U R R N R
H U T V R O V C M O F A A
B R E N S A N A R S A N G
A G R H I E N I L O S A G
L N U Y A M A N O G S G O
L I N O M D R C G N A A Q
S N A H K A E E A D S R J
Y R M B I B D N P D V V K
E U X S J A I S L P A U U
J B V O B O Q E B K E M R
C H C T E S E H C A E P O
```

BAD EGGS	INCENSE	MYRRH
BANANA	LAVENDER	ORCHIDS
BURNING RUBBER	LILAC	PEACHES
FRIED ONIONS	MANURE	PEPPERMINT
GARLIC	MOTHBALLS	SAGE
GASOLINE	MUSK	SASSAFRAS

```
M A H K R A M E I V E T N
A I N V K K Q C H S N S Z
R T K S R U K T I O E H E
C W A S R A W R T P A A S
C L K B M D P P O S L E P
A N R S B R M R O O N D E
L N K U E A U E G M B A R
V H A T H E Q N N G U O A
X P N T R R A I Q S U R N
Z E R I S M M N T M S A C
E O N B H A B R K A R Q E
N L E E U O A R S A G Z V
H U F T H L L B M M R M R
L B O I I S C S P O H A K
B M O A Q H A S O I I N D
```

ACCRA	AUSTRALIA	NORTHAMPTON
ALASKA	ENTERPRISE	OHIO
ANGOLA	ESPERANCE	OSLO
ANKARA	EUROPE	RUHR
ASMARA	KURSK	TIBET
ASTANA	MARKHAM	WARSAW

SPORTS EQUIPMENT

```
P Y E T P E K U A A M J S
G Z P L F A L C O E B V E
J S A S L O R T U A K R P
G S D Q U U O R S P R X O
C O D A G J C T O I L S R
N A L H E E E S B W H F G
I F E F K N B N V A H W N
L Q J Q C S B Z L F L X I
E W H I E L K N W U I L B
V P M E I G U Z R P O N M
A F C H H H N B G Y O A I
J T R O S H O J Z T L I L
E A F A A J G L A L B D C
H V C C M O M B E Q B K R
R M V K R E T T U P K S D
```

ARROW	JACK	OARS
BATON	JAVELIN	PADDLE
CLIMBING ROPE	LUGE	PUCK
FOOTBALL	MALLET	PUTTER
FRAME	MASHIE	SCULL
GOLF CLUB	NETS	WHISTLE

BACKING GROUPS

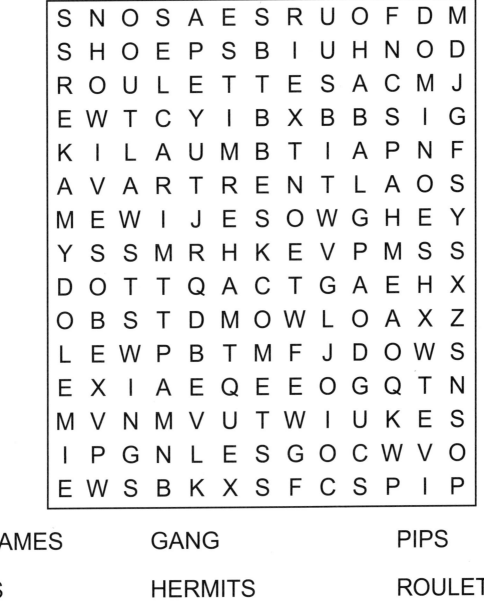

```
S N O S A E S R U O F D M
S H O E P S B I U H N O D
R O U L E T T E S A C M J
E W T C Y I B X B B S I G
K I L A U M B T I A P N F
A V A R T R E N T L A O S
M E W I J E S O W G H E Y
Y S S M R H K E V P M S S
D O T T Q A C T G A E H X
O B S T D M O W L O A X Z
L E W P B T M F J D O W S
E X I A E Q E E O G Q T N
M V N M V U T W I U K E S
I P G N L E S G O C W V O
E W S B K X S F C S P I P
```

BLUE FLAMES	GANG	PIPS
COMETS	HERMITS	ROULETTES
DAKOTAS	MELODYMAKERS	SHADOWS
DOMINOES	MIRACLES	STOOGES
E-STREET BAND	NEWS	WAVES
FOUR SEASONS	OUTLAWS	WINGS

JEWELS AND TRINKETS

```
W  J  A  A  D  C  G  M  F  K  F  K  W
I  X  P  T  R  W  U  U  M  E  K  J  M
A  L  W  S  Z  A  T  F  E  C  M  E  R
C  O  L  L  A  R  I  C  F  A  V  T  A
N  C  A  N  K  L  E  T  E  L  L  E  H
S  K  T  C  E  X  C  V  O  K  I  R  C
T  E  O  S  X  Y  S  W  Q  C  Q  N  Z
E  T  R  J  R  Z  Y  F  S  E  W  I  K
L  H  Q  Y  C  U  N  U  D  N  H  T  H
E  W  U  J  X  Y  B  E  A  D  S  Y  P
C  I  E  N  S  R  P  N  I  D  F  R  E
A  P  K  W  O  H  T  A  U  I  C  I  A
R  U  P  O  G  N  D  C  Q  S  L  N  R
B  J  C  R  T  E  I  A  P  P  I  G  L
W  H  G  C  M  B  Q  S  L  A  P  K  S
```

ANKLET	CLIP	LOCKET
BEADS	COLLAR	NECKLACE
BRACELET	CROWN	PEARLS
BROOCH	CUFFLINK	SUNBURST
CHARM	DIADEM	TIARA
CLASP	ETERNITY RING	TORQUE

GREECE

```
A S O H T A T N U O M T X
R C M Y L S A Y S U H I E
E U R Z Q Z W A H R K A J
S Z F O H K N T A I N K U
E S E R P T C C N E M H A
N J U U O O E O C T P G N
E J K R S C L Y Y E A J I
G I I U U A M I R R G K G
O N N J S C N V S C A T E
I S Q S R A I V E L M A A
D O E S X H N P V H E T G
I H U O L S O U E F M M N
T H S Z Q M O D I G N W C
B H O H O S Y Z E J O I K
B G K N O S S O S S N I Y
```

ACROPOLIS	EPICURUS	RHODES
AEGINA	KNOSSOS	SANTORINI
AGAMEMNON	MOUNT ATHOS	SOUVLAKI
CORFU	MYCENAE	THESSALONIKI
CRETE	NAXOS	THRACE
DIOGENES	OUZO	ZEUS

ROCK AND POP GROUPS

```
W G K U S K F X W C M K H
F R L A A P M A D N E S S
A S J I P N V S S O A U
E H E Q R S U Z R Y C U R
Z Q S X Y F A T O A Q D Y
E I Q A P E G W T J B I C
E D B R N I J J O O M E Y
U P Z F E T S G M A H N A
Q S O L Y V A T P E I C J
S J I R B I J N O Z N E S
T X Y O U R R W A L M I D
E D E S E E K N O M S X D
A D L H Y Q O C G A T N I
M C L P S N B X O O Y V T
K L O S P O L I C E X F X
```

AUDIENCE

EUROPE

EXILE

HOT TUNA

MADNESS

MONKEES

MOTORS

OASIS

O'JAYS

POLICE

RUSH

SANTANA

SEX PISTOLS

SQUEEZE

STEAM

STYX

WASP

YELLO

EARLY

```
L P R O T O T Y P E S Q V
W P H S Y U S V M H Z E L
B G R W N M R I H B L R A
S I W R Y T T E S M E O I
F U I O B D O U A R E T T
M P U F O S O O U D H S I
E N D O H I D T S G Y N N
G U G U V R U H N O W I I
O N V E A F B I A R O F R
I M R W O N N R A O V N V
Q P R R H W P K I Y Q I W
W O M O A U P C O M I N G
F E H D I T N O R F N I N
R Z H S V R S F T U L M W
P B T N E I P I C N I L Y
```

DAWNING	IN GOOD TIME	PROTOTYPE
FIRST	IN STORE	READY
FORMER	INCIPIENT	TOO SOON
FORWARD	INITIAL	UNRIPE
FUTURE	PREVIOUS	UPCOMING
IN FRONT	PRIOR	YOUNG

SUSHI

```
L C I G A N U O U J G M I
I C R A E V A P P A K B W
A O V A C V L A T T A I T
T N O C B Y R N H S O S I
W H I G Q U O E A S A F I
O O U G K T S W P T A P U
L C I I I U X H U C S H T
L H G N T R W B R J O O N
E O S S Q U I D K I E O S
Y T Y E D L O Z D A M Q L
P O Y A A N C G U L Y P L
R B V H P W T G A S I R O
L I O W D C E S L M H U R
I K C T S D J E Y O A I S
R O B E C L I V D S Q T G
```

CRAB

HALIBUT

HOCHO

IKURA

KAPPA

NIGIRIZUSHI

RICE

ROLLS

SALMON

SEAWEED

SHRIMP

SQUID

TAMAGO

TOBIKO

TOFU

UNAGI

WASABI

YELLOWTAIL

MINDFULNESS

```
T H G I L G L X J U Z Z N
T D R A G E R B E A M G O
X A O C H Y T I N I F N I
R A M E D I T A T I O N T
P R T F H S E E M N H F A
K Y X H G C S R O D L D R
V V B L O S P I A E P D T
I F A U E U S P A C E C N
G R O N I S G R A Y J A E
I E C C A V N H I E F L C
L E Q P U I E V T R S M N
A D M T N S C L K F O U O
N O E G Z I A M E O U Z C
C M D Y Y O E M Q W L L I
E L H L W N P K C W D B R
```

CALM	FREEDOM	REGARD
CARE	INFINITY	SOUL
COMPASSION	LEARNING	SPACE
CONCENTRATION	LIGHT	THOUGHTFUL
ESSENCE	MEDITATION	VIGILANCE
FOCUS	PEACE	VISION

ASSOCIATE

```
A F L H U P M X Y N I O J
L D C D P U H U M O E B S
G I K O H G H C P U K Z L
E O N C R L T A G N Z E U
L J H K F R T A D C R K P
P J V A E E E A T T A C H
U S I L N L L N J O O G
O Q R T W D H L A Y T N H
C O M E V E I Y O T X S T
E M Y O L I C N S W E O C
T S U P K C H L H W R R E
I U E D N E I R F A B T N
N R E Q R E V E U L N C N
U C O M P A N Y D A A D O
D Y Y T I N R E T A R F C
```

ALLY

ATTACH

CHUM

COMPANY

CONNECT

CONSORT

CORRELATE

COUPLE

FELLOW

FRATERNITY

FRIEND

GO HAND IN HAND

HELPER

JOIN

LEAGUE

LINK

UNITE

YOKE

ANTONYMS

```
J E C N A R O N G I E A B
I O B K H Y N F A C Z B D
B N D M D R T Z W T G U A
K Y N Z C D X L E Z U N G
L N N O N G Z I I F N D Q
R A O E C S I N G U L A R
S E I W C E C Z E R G N Y
J R V A L R N N E D L T C
F H R E E E I T V N D T P
J C P A L L D S E N I T E
E U S H C C N G V B P T U
N E N E N A W R E T U L H
E K D I D N J V P N T D X
M X V I O R O I N E S I E
Y F R Z E R P L A R U L P
```

ABUNDANT	ENEMY	JUNIOR
SCARCE	FRIEND	SENIOR
CLEVER	GUILTY	NADIR
STUPID	INNOCENT	ZENITH
DECLINE	IGNORANCE	PLURAL
INCREASE	KNOWLEDGE	SINGULAR

ICE HOCKEY TERMS

```
N  M  O  U  R  E  D  L  I  N  E  E  R
Q  J  V  I  D  Q  S  J  P  T  V  O  R
I  X  E  H  T  L  G  K  W  S  J  Y  U
G  N  R  T  J  F  T  K  A  A  P  N  O
O  F  T  L  U  N  A  S  M  T  Z  W  F
A  O  I  E  S  O  X  C  T  O  E  M  N
L  O  M  V  R  T  K  E  E  O  X  S  O
I  A  E  X  E  F  S  C  E  O  H  L  R
E  U  S  Z  H  O  E  E  O  S  F  S  U
K  J  H  S  P  M  N  R  P  L  J  F  O
A  P  E  R  I  O  D  T  E  I  V  A  F
D  M  T  N  T  S  Y  G  H  N  U  K  Z
I  H  O  K  C  I  T  S  I  R  C  M  P
N  R  W  C  U  Q  U  I  C  U  E  E  T
G  N  I  C  I  N  N  H  P  W  N  E  R
```

ASSIST	INTERFERENCE	PESTS
FACE-OFF	LOCKOUT	PUCK
FIVE-ON-THREE	MAJOR	RED LINE
FOUR-ON-FOUR	MINOR	SHOTS
GOALIE	OVERTIME	SKATES
ICING	PERIOD	STICK

FUN AT THE FAIR

```
D W C A E K J E S J G C R
U D A D L R C D T G B I P
U L I L J P R P R O I S N
O L O X T R O E A D G U U
S R W N E Z Z O D T D M F
M W O F G A E C H O I A F
A H I U M B J R T H P K O
E Q S N N R O C P O P W S
R W K I G D W A R Y E Q T
C P G W F S A Z T O R V O
E F R H O D Z B C O W B L
C K U I V U L G O X K D W
I X U L Z B G O A U I R S
Q H I G E E X H G B T A E
Z N T G H O S T T R A I N
```

BIG DIPPER

CROWDS

DARTS

GHOST TRAIN

GOLDFISH

HOOPLA

HOT DOG

ICE CREAM

LONGBOAT

LOTS OF FUN

MAZE

MUSIC

POPCORN

PRIZES

ROUNDABOUT

SLIDE

SWINGS

WALTZER

ABILITY

```
R V A O E X H C Q C X D N
P V C C T N E L A T T N I
T Q R O D Y A D L Y O R I
C O A K M K U U G I C E Q
F L M D H P C R T E K W U
W Y E P W M E A M J F S X
O R D V M N V T N K Y P F
H E S F E I E O E K S F P
W T T T R G G E N I U S
O S H O R R N H O T C R S
N A M C R E I E T J S E J
K M O E U R N A S K C A F
C A W E A O J G L S O W M
L O I K S N T K T F P O I
P U S O E J S B J H E Q I
```

CLEVERNESS	KNACK	POWER
COMPETENCE	KNOW-HOW	SCOPE
ENERGY	MASTERY	SKILL
FLAIR	MEANS	STRENGTH
FORCE	MIGHT	TALENT
GENIUS	MOTIVATION	TOUCH

WORDS ENDING "FUL"

```
L U F T D I L U F E R A C
D S L U F S F U L L B U L
T I K S L U F U U R U E
D N L R M C F F L U F O A
I F U R E H T U H Y L C R
S U F O S S F G O U C N F
T L U I I E P J F X L Y U
R J W F L D R E A D F U L
E T E I U G L S C F F A W
S A U S F T F U L T D U X
S G F I T F U L F L F W L
F V F E L F M E E Q A U W
U U K Y U A U F A W F U L
L U F N A M U L U F E Y E
L U F T F L V O F U L X D
```

AWFUL	FAULTFUL	KETTLEFUL
CAREFUL	FISTFUL	LADLEFUL
DISTRESSFUL	FITFUL	MANFUL
DREADFUL	GUILEFUL	RESPECTFUL
EARFUL	JESTFUL	SINFUL
EYEFUL	JOYFUL	WISHFUL

ROBIN HOOD

```
D H A O Y M Y T I R A H C
X N P X E E X I A C R V U
L R E O U T L A W I D B P
L I H G Z U R X B O S R T
E G T G E R N W O S H A L
G N E T O L G W R L X O H
I I B W L H N E L E N T N
Z T S P K E N M S G Y K W
B N G B E W J R B M U N Y
L U Q R O I B O Q X N I R
K H G D N U W M H K C G E
U S N T E G R A T N H H H
C A E W Q I X N E T U T C
L P Z G L A R C E N C S R
T S E R O F A E S T O A A
```

ARCHERY	HUNTING	LOXLEY
ARROWS	KNIGHTS	MYTH
CHARITY	LANDOWNERS	OUTLAW
FOREST	LEGEND	ROMANCE
GISBOURNE	LITTLE JOHN	TARGET
GREENWOOD	LONGBOW	TAXES

NOVELISTS

```
L M A J Z J W K J I G J E
K U N W D Y X K U Y C K
P T T O C L A C O Z Y R U
Q K O H K M E Q V O S E G
E L T O N B N A J J C N M
F Y B E N A R Y S X I D B
A Y D I Z D D J V O T E Z
T U E T Y R A A Y K R L J
A T B P O I P A M D C L E
S V O F I N T E T S L I L
Y B T C J E E Z P J D S L
R I B R S B Y T K H E W B
M I C H E N E R S S D I T
C A X I N X L U S U Z F Z
A S H G U O R R U B A T A
```

ADAMS	JOYCE	RUSHDIE
ALCOTT	LEASOR	SCOTT
AUDEN	MICHENER	STEINBECK
AUSTEN	MITFORD	SWIFT
BURROUGHS	ONDAATJE	WOOLF
ELTON	RENDELL	YATES

STATE OF THE NATION

```
Y O S E C I V R E S A B G
X S B M B V I A S D I L S
R N Q M H X J T N H P T O
X A K U L A N D Q T O G B
C T C S Z E N U P D H P X
D U J E M Q B B H B P E S
C R N U R F M T Q V U N M
R E N M R E I S T A T E U
I O O S N J L V E O E S V
M I N I N G T A C S L H G
E M N W E W X E T O R Y M
H F L A G W A R O I Y L V
G C K N T N O H T U O Y Q
R O A D S P C V P L M N A
S E I T I S R E V I N U S
```

ANTHEM	MUSEUMS	SCHOOLS
CRIME	NATURE	SERVICES
FLAG	OCEANS	SHOPS
LAND	PORTS	STATE
MINING	RACE RELATIONS	UNIVERSITIES
MONUMENTS	ROADS	YOUTH

CINDERELLA

```
C K X D I Z H C A O C K V
Y R I C R U E L H I G C B
B O M Y T S T E N X N O J
R W R N R N Z D D S I L P
E E O O Y B E J S I K C T
H S H W E R X E E N R B H
T U J S E M R H H V B B T
O O H L S D I O Y I A B R
M H L A E C I M G T L L A
P A E C N A D J O A L Q E
E V N R B D R L D T O W H
T E C E B X S C R I N Q H
S C V P E X T O A O C A L
M K U X O U O P M N N U P
Z J K Y L K Q W T E Y W I
```

BALL	DANCE	INVITATION
BRIDE	DRESS	KING
CINDERELLA	HANDSOME	MICE
CLOCK	HEARTH	PANTOMIME
COACH	HORSE	QUEEN
CRUEL	HOUSEWORK	STEPMOTHER

COLD

```
E N W D I G I R F U G Z I
L V Y I R E V I H S E P N
P M F A N G X D R L L R A
M C H H J T R G C P I L J
I E T M P Y R I S B D P A
P C B J I H C Y T S O R F
E T E C C I S L O E Y R O
S E E B C T N Y N Y R F P
O E T B E O U E Y X A I Y
O L F A C R O N R P C T J
G S A R G Z G L D T P B L
L V H C O D P P N R N I Y
J X Y T R E M B L E A S N
B J F I A V V I G H S W L
T W S C L P Y H S U L S H
```

ARCTIC

COOLNESS

DRY ICE

FRIGID

FROSTY

GELID

GOOSE-PIMPLE

HAIL

ICEBERG

ICICLE

NIPPY

SHIVER

SLEET

SLUSH

STONY

TREMBLE

TUNDRA

WINTRY

ARTWORK

```
A S H J E L S H J D C A Y
D A T Q O T A Q G R B N G
O T N O N S L R R E S I N
Y P H K O O I D U T S T I
P C V Z Y L C R S M X S H
S I Q E A L N G K Y M G C
W P G B R Q E R P G O L T
U O C M C U P A L E S A E
V C D A E S T D C W A T H
R V Y A M N X A L R I Y Z
G E Q E H E T T I W C D D
N L P I U S O I N N J K H
J O A A U U M O E O I S H
L P E Z P Y Z N S H A M A
M Q A A E G E N K W U Y T
```

CAMEO

CRAYON

EASEL

ETCHING

GLAZE

GRADATION

LINES

MINIATURE

MOSAIC

MURAL

PAPER

PENCIL

PIGMENT

RESIN

SCHOOL

SHADOW

STUDIO

WASH

PLAIN AND SIMPLE

```
T D E T A R O C E D N U H
N R M D H V H S O P L O T
U Y Y T E Y Z J R Z N T K
L D A R F I V I M E N U R
B S T E L B I S S E C C A
T Q O N U D S T D F I Q T
O A X S C I I I M S I T S
R X G P I V V R A K H R L
D A F A D E C B E G G E Q
I N D R I L H E I C R O U
N A I T E U K R L E T R H
A N J A U L N O T P P W L
R U R N L W N S G E M W S
Y D T C O P U A X G I I H
V D I D N A C D I M E L S
```

ACCESSIBLE	DIRECT	OVERT
AUSTERE	DOWNRIGHT	PLAIN
BASIC	EVIDENT	SIMPLE
BLUNT	HONEST	SPARTAN
CANDID	LUCID	STARK
CLEAR	ORDINARY	UNDECORATED

COATS

```
U Q N P J K X R X R G W Y
M M Y I A I N K E X P K W
R C A R K Q E D V S O H C
E A O C W R I M G G N B V
E N I I K N E T V B C T L
A L G N G I A J L R H E A
Q B U O C O N A X O O K I
U W T O C O Z T D F R N C
A E H R G E A E O A H A O
F S A R R A X T P S Q L P
G C D E G U C J Y Y H B E
H L R E T A E H C D N I W
A O K F G U T A O C R U F
N A S E U N P T E L J C T
G K V R S E L B P R F O C
```

AFGHAN	CAR COAT	PONCHO
BLANKET	CLOAK	RAINCOAT
ANORAK	FUR COAT	REDINGOTE
BLAZER	JERKIN	REEFER
CAGOULE	MACKINTOSH	TUXEDO
CAPE	PARKA	WINDCHEATER

THINGS WITH STRINGS

```
P Y D R U G Y D R U H L E
E E J S I R U N D T X V G
B E A N S U P P O R T A D
K L Z R L F Q U Y R T I O
P A M E L E I A A T P O R
B A B W O N F D F N J A G
L A P E N L E I D N E H N
L O L L E C G C A L J O I
V P O A K O E B K H E J H
J I U Y L P R T F L E Q S
Y W O R S A R A E X A L I
V Y T L S K I A T P O C F
O A A U I E D K A I P X E
G T S T F N F P A D U U J
T Y E O N A I P B N B G P
```

APRON

BALALAIKA

BANJO

BEAN SUPPORT

CELLO

FIDDLE

FISHING ROD

GIFT TAG

GUITAR

HURDY-GURDY

KITE

LABEL

PEARL NECKLACE

PIANO

PUPPET

PURSE

VIOLIN

YO-YO

"QUICK" WORDS

```
E B S A L V E R T U W C R
Z C V U D R I N K Z S E Y
E Q R T C N K P P R V F I
E G N A H C A A Z L S R P
R Y R Q K Z E S I R H O B
F T E Q E K R S A A Y Z G
Q S G D B C B P S F I E O
K O C R I U N T E I O N H
N W J Y P B I E D A O T D
X P L I J N M P R O A N B
L U H N K R N A T E P R E
T Y P G T R V M D O F A B
C V R E O W G F H V L E Z
S I G H T E D V J G A B R
O P T K N S V W E M L G F
```

BEAM	DRYING	SAND
BREAK	EYED	SIGHTED
BUCK	FREEZE	SILVER
CHANGE	FROZEN	STEP
DEATH	KNIT	SUCCESSION
DRINK	REFERENCE	THORN

TITANIC

```
G R E G A R E E T S G G R
B E C D E A N T E R A G E
O V O A O G A S E U X A N
H E S L P C D B L P M A I
H L M V U T E I A E H G L
P N I V E C A S R Y W U A
P I T R I A S I R B Y E P
C M H R P E C U N O S Z J
N C H S N A X Z O I M O M
F J S G I U F W G E K T K
Z R E I L E D N A H C N P
M R R Y N J A G T N P U T
S O A Y E L L A G T M Q J
G F L A S C V Z L P U P O
F V F F U F F P S T N A N
```

AMERICA	GALLEY	PASSENGERS
APRIL	ICEBERG	PUMPS
BRIDGE	JEWELS	SHIP
CAPTAIN	LINER	SIGNAL
CHANDELIER	LUXURY	SMITH
FLARES	MORSE CODE	STEERAGE

CITRUS FRUITS

```
K C O D D A H S R X W O U
T I K R P G K Q F H S H S
Q V D H O T Z Q Y T E G T
O S D X M Q A J S M U O A
G R A P E F R U I T O R N
O R A W L T V L Q O V T A
R A X N O D Y J Q M P E M
O S L X G E K Y D N U P A
B U H O K P Y A O I O K V
L D I G E U U M B N K X R
A A A Y Z N E R C O D J A
N C R U O L N I H U S H Q
C H A A B K R I M E H U S
O I N H H U A C M U G L I
L A W N S A D N F B T B A
```

AMANATSU	KUMQUAT	PONCIRUS
ETROG	LARAHA	RANGPUR
GRAPEFRUIT	LEMON	SHADDOCK
IYOKAN	MINNEOLA	SUDACHI
KABOSU	OROBLANCO	UGLI
KEY LIME	POMELO	YUZU

"F" WORDS

```
F E V A F E Y R A I R F F
I E M O D E E R F D E L R
N J C I S T E L A N I F O
C T T U F I A N C E E V K
H E O J N U F G I I D F Y
F Y D O K D F A N N E Z H
M A F N F E I J G F F C O
W H R A I A N T B B N E O
O V S N L U F I Y E F D E
L X H I A F A E R L E G K
L F F S M F F F T U D Y F
A I U Y E A M W Q U G E A
F F Z L N R F R F K T I N
I T Z V T X F E L D U F F
F H Y Y T I N R E T A R F
```

FACING   FIFTH   FREEDOM

FALLOW   FIGURINE   FRENCH

FAMISH   FILAMENT   FRESH

FECUNDITY   FINALE   FRIARY

FETID   FINCH   FUDGE

FIANCEE   FRATERNITY   FUZZY

WORDS CONTAINING "LIP"

```
G V S G N I P P I L C N S
P I L C R I C L I P O L N
F L I P P A N T I I I P M
L I P V I A L B T P I P A
P C A L I P H C P L O L E
I P W K I T U I S P I L R
L I A L B S N O I P P N T
S L Y M O G P L R B B O S
R K T P P I L E R A H N P
E V I U L O A O L R W S I
V L L C L D P J X I F L L
O X N P E I D I I L L I S
C U I R T Q P I L D I P U
S R E P P I L S L I P P G
P I L F L I P C H A R T D
```

CALIPH	HARELIP	SLIP AWAY
CIRCLIP	LIPOSUCTION	SLIPPERS
CLIPPING	LIP-READER	SLIPPING
COVER SLIP	LOLLIPOP	SLIPSTREAM
FLIP CHART	NONSLIP	TULIPS
FLIPPANT	OXLIP	UNCLIP

FARM ANIMALS

```
S E S R O Z P B S H Y L A
W O S C K M Q E U R O H L
O S R T C I V A U L E S G
S R L J A L T K I L L Y A
L A L E A L O T M I S S N
E H A C K Z L S E K A R D
R A M S E Y I I K N C U E
E O A S D S T A O A S T R
K D S K Z I D S T N E K S
C Y W C P O K T E S S S I
O I W U E A L I S S T C L
C E E D S E N L D A R J H
C U L W E S I O O V U O H
E O P Y E K G G E E S J H
T C F T G S A C A P L A M
```

ALPACAS

BULLS

CALVES

CATTLE

COCKERELS

DOGS

DRAKES

DUCKS

EWES

GANDERS

GEESE

GOATS

HORSES

KIDS

KITTENS

LLAMAS

RAMS

STALLIONS

89 **"B" WORDS**

```
A S S E N R E T T I B E B
B L Y D P B Y F A K S L H
I A N B W O L E B O W B E
D H N R O U D Y U P L Z D
I E O O N Y B B U E M B N
R B B O K B H H W D G F O
E B O D E H T O R T E B L
C B T M C T N D O B I U B
T B Y T B T R C P D R C F
I V I L U A H A B P B K D
O B U O B E R I P A D L F
N B S N P B A D B A C E B
A U B U S S D B I W N T A
L O X N O R Y B I E E O V
B Y F L W E B N E L R A B
```

BELOW   BLEW   BOYHOOD

BETROTHED BLOAT   BROOD

BIDIRECTIONAL BLONDE BUCKLE

BIOPSY   BOMBARDIER BULB

BITCH   BONAPARTE BUOY

BITTERNESS BONNY   BYRON

ARCHERY

```
H I J O T P I O N S E K E
A E W S A E U E V K T S T
R B J H J H L V G M M S I
E Z C A X E X K A Z A J L
H W H F M W S G C P S E I
T C E T Z A S O W A N D H
A D S Y M K Q O O A T B P
E I T Z W F O A V L O I O
F T E M B D D J P W Y U X
M N D B F N E L S U C Q O
B K A Y U L T T M M S Y T
U A R O U E R Q A L F L S
F G R U J I N P I L E L D
E N O B N U Z J K W P E F
Y Q W G R M M A R K H B Z
```

BARB	LOOSE	SHAFT
BELLY	MARK	TACKLE
BOWSTRING	PILE	TOXOPHILITE
CHESTED ARROW	PLATE	VANE
FEATHER	ROUND	WAND
FISTMELE	SAP WOOD	YEW

HAIRSTYLES

```
L  B  S  K  K  X  N  T  J  P  I  B  I
P  G  H  V  Y  U  A  Z  A  F  R  O  H
O  C  I  Y  B  V  A  G  C  N  M  T  K
R  I  N  N  O  T  E  O  X  O  Q  Q  R
C  J  G  B  Q  B  M  F  F  I  U  Q  U
M  V  L  C  O  B  C  C  W  P  Z  B  O
F  A  E  Y  O  E  U  U  P  K  O  G  D
G  C  R  V  Y  G  T  C  R  B  R  J  A
B  O  E  C  W  G  T  T  B  L  C  R  P
R  R  X  Y  E  I  M  C  E  R  E  X  M
A  N  Q  H  A  L  Z  R  I  Z  R  D  O
I  R  X  L  V  U  W  M  F  H  I  P  P
D  O  P  P  E  Z  P  A  M  X  E  R  X
Q  W  A  B  F  E  I  U  V  R  O  I  F
V  S  R  N  D  N  X  N  M  E  U  R  Z
```

AFRO	CRIMPED	PERM
BOB	CROP	PLAIT
BRAID	CURLED	POMPADOUR
BUN	FRIZETTE	QUIFF
COMB-OVER	MARCEL WAVE	SHINGLE
CORNROWS	PAGEBOY	WEAVE

PAPER TYPES

```
B B G K Q C C V O D F H E
Q G I C R E P E N O M R S
L I M R D A B N O E A F W
A Y N Q P J Q L B P N Y E
G L C Y G U S U R X I I N
E R R X U C U W A W L E L
L U A P A E M F C Q A G B
S X Q P L I T M U S N N D
W T L N H V W T R V T I Q
H M E L E I R A Y L R T J
I H K L A A H N X N M T P
T V L M C W M S N E B O Q
E U L I J E O G A X D L R
M E N N R F R T G W K B R
H G N I K S N O I N O Q V
```

BLOTTING	LINEN	TRACING
CARBON	LITMUS	VELLUM
CREPE	MANILA	WALL
FOOLSCAP	NEWS	WASHI
GRAPH	ONIONSKIN	WAXED
LEGAL	PAPYRUS	WHITE

TIMBER

```
M D O O W P I L U T L W X
B E E L R B V T Z M T O Y
T C U E T I F E E G C L X
D R D I U U S B Y A B L B
P L A H E A N J G J K I I
A X B D K D L L U T R W C
R Y R R E H C S A C X L C
A E S M R C X H H W Y Y A
N E D L D Y Q R J J P K S
A S A O N Y R U A R R C L
D L R O A T L O E K B O A
H E B R S K U S K E I L B
S E A N F N S G E C B M Y
E H J L P G F C O L I E O
C Y N A G O H A M I B H W
```

ALDER

BALSA

BEECH

BIRCH

CEDAR

CHERRY

CYPRESS

DEAL

EBONY

HEMLOCK

HICKORY

MAHOGANY

PARANA

RED OAK

TEAK

TULIPWOOD

WALNUT

WILLOW

CITIES OF ENGLAND

```
N O T P M A H R E V L O W
P C A M B R I D G E W A B
F Y A P M L R R X O K A T
S X C Z X O T I I E C N K
A T O U F Z Y L F P E R R
Q I A D S U F I F R O E K
X X A L N D E Z T Y T N N
I R L N B L E N K S S N O
B E H O D A O E N A O R N
W C B D Y E N I L R U L L
O U L N K D M S W R F Y O
F S W O W T R I T R B B C
G E T L S V C W P A E R N
L S L E G H G N T U L E I
B L W Y T H B H T L I D L
```

BATH	LINCOLN	TRURO
BRADFORD	LONDON	WAKEFIELD
CAMBRIDGE	NORWICH	WELLS
DERBY	RIPON	WESTMINSTER
ELY	ST ALBANS	WOLVERHAMPTON
LEEDS	STOKE-ON-TRENT	YORK

COMPOST HEAP

```
Y R G W I M R F M T L Z P
V A M A O W L H S N R J N
Y P C M R O F U F V C Z Z
B V W E W A D E H H V L N
E N A E D W A C S O H E O
V M R M A T P A H H I A I
I S T S H O E L V I V V T
S P S E J R D R A U P E A
J M R E I G D D U N K S T
L S R F F A T E E N T M E
Y S N O Y N N R E B A S G
F O Z J W I B B D W R M E
B X U B A C T E R I A I V
S P A R C S D N W K J E S
V R G I K S E I R R E B S
```

BACTERIA   FLOWERS   SCRAPS

BERRIES   LEAVES   SEAWEED

BONFIRE ASH   MANURE   STRAW

DEBRIS   ORGANIC   VEGETATION

DECAY   PLANTS   WOOD CHIPS

FEATHERS   SAWDUST   WORMS

SAINTS

```
Q R N A Z A R I U S S F J
C E A U D N G P T I W N M
N I E B R A B A R O E G U
E L B J D Z M A L E N N G
R E T R V A N I N L D C L
U H J X S I Q I A A U Q B
T S Q U L R R P V N T S G
N T T L L E T I I S U B R
E I O M H X D H D E I S T
V P W T O Y T J O L X R D
A H A L M N R A V M E Y W
N C T H Z U I A S B A U C
O B Z E J W G C L A Y S H
B J E R O M E A A I P H H
E A G R U P L A W F H H W
```

ALBERT	CATHERINE	JEROME
ANSELM	DAMIANUS	MONICA
APOLLINARIS	DAVID	NAZARIUS
ASAPH	GALLUS	THOMAS
BARBE	HELIER	VITUS
BONAVENTURE	HILARY	WALPURGA

CIRCUS

```
P N P Y I B S X E J I W P
T Q E Y A G F C N W O L C
C E P R O Z O U R Z R O C
J L N D D S E I N O P D I
N B A S T L B G X N F C G
T B B U I E I I S H Y C A
S W M K G O H H N H D R M
T E I N N H S C S H O C
L A E C F D T M T O B W I
I X E T E P O E Q U E D R
T O V R O D E L R R N A C
S F E A T S A N B W K T U
I T A S R E D I R H P W S
V N C X F T Q Q L D U I D
R L R A U X L Q B Y T O D
```

ACTS	DOGS	RIDERS
CHILDREN	FEATS	STILTS
CIRCUS	FUNNY	STUNTS
CLOWN	LAUGHTER	TENSION
COSTUME	MAGIC	TREAT
CROWD	PONIES	TWICE DAILY

SCOTLAND

```
A B E R I R N A E M A K N
T T P Z A B N A N N A C E
R R Z F C E N T R A L S T
A M R Q N O E V V T O J K
M O U N T A I N S R N N F
F U G D H H O N L A E I D
S S R S G M F E F T F N Y
I N I N L E M R I E S U J
Q R M A B P E R T H P K L
F U S L G I E A O L O W M
D B A C S E Y W O B R S T
E O Y L E S B H D E R U T
R Y A Q I E D C V U A O W
E Y J D C I Q O Y N N F Y
H J E J L U M L Y O B S E
```

ANNAN	GRIMSAY	ROB ROY
BURNS	ISLAY	SALMON
CENTRAL	LOCH WARREN	SPORRAN
CLANS	MELROSE	TARTAN
FIFE	MOUNTAINS	TAYSIDE
FORFAR	PERTH	TIREE

PALINDROMES

```
B R R I S E M N S P F E E
D O U M M B B A T H D Y D
F A R C I V I C R V A E F
D E E R B R E E D V E H J
N O E D O A R P V D I K S
S O L O S W V O R T O G K
T N W I A R O B R Y P A B
O Q S I E W C R P R Y T H
P B R F W B D N R A I Y A
S I E T R O E E K O E M N
S R T O O W N C I N B F N
P D U U T K Q D O F C M A
O R Q H O S O O S A I E H
T I E O R M N N N U F E T
S B K S E V E N E V E S D
```

BIRD RIB

BORROW OR ROB

CIVIC

DEED

DEER BREED

DEIFIED

HANNAH

KAYAK

KOOK

MIRROR RIM

NOON

NOW I WON

REFER

ROTOR

SEVEN EVES

SHAHS

SOLOS

STOPS SPOTS

"GREAT" START

```
V U A E C N A T S I D A C
N U C T I J B R N G J E Z
K P T E S E E N E R Y P M
R F C F N D A C M E S Q U
A E L A S E Y Z T X G K N
E L D P S A C K N R J N B
B L O D Q N E B U L K U H
C T N A M A Q U A L A N D
H A S D B S N L Z Z T C N
S T C Q Z W J Y U E P L I
P E T I A S E A L G Z E A
N R M S R Y C G K Y O J T
P G H R I C V O R D V M I
T E Z W Y W L L T W M A R
D R D A Q W S E Y T I P B
```

AUK	DISTANCE	RED SPOT
AUNT	EGRET	SAND SEA
BEAR	MOGUL	SCOTT
BRITAIN	NAMAQUALAND	SEAL
CIRCLE	NIECE	UNCLE
DANE	PYRENEES	UNWASHED

CHEESES

```
T P K O M C N W L K M Y G
T K R O Y E D L O S B F N
Q K P L I F I J O R B Y I
C D A R B Y O P E L T O S
J O C E E H Y D P T I R A
S T J T R B F N B A S K B
Q W V A I S W W L Y L M N
E U I W C J X N L Y I L V
I H A S O K C B A C T Q P
R F G R E I L A N W G S V
B E Z D K H M A B R T S W
G F A G J T I K O E O Y W
D M E X Y R A B I R C C U
C O T T A G E X D L P O A
A N H G A E R E Y U R G U
```

ACORN	COTTAGE	LAPPI
AIRAG	DERBY	LLANBOIDY
BASING	EDAM	OLDE YORK
BRIE	FETA	QUARK
CABECOU	GRUYERE	TILSIT
COJACK	IBERICO	WATERLOO

BRIGHT

```
A T N E C S E D N A C N I
S U O N I M U L R H I G J
Y W O H S G Y B L A G I Z
R K R H Y H L N R I E V V
E P G L E A M I N G G L M
I J Z Z Z V R F B U Y H C
F G K I I N S G K B S G T
W Q N V N H Y B R Y G N K
R G I W I M V D H T N I X
N D U N E X H A D K I R K
J U I R Q I R S F D L A U
M N X T H S G Q I I Z L N
G E L D H E R D Y R Z G W
L U F R E E H C Z U A T K
Y H R A D I A N T L D G D
```

BLAZING	GLARING	LURID
CHEERFUL	GLEAMING	RADIANT
CLEAR	HARSH	SHINING
DAZZLING	INCANDESCENT	SHOWY
FIERY	LIGHT	SUNNY
GARISH	LUMINOUS	VIVID

PANTRY CONTENTS

```
P C C T R L S S E G I O U
E B A Y L E S K E M O X G
P U N P N A J U E H Y G E
P N N U M U S T A R D H M
E L R O Y K J T F S E M T
R P A E R C Q E T R E J U
F M A I D F N U B S R C N
J S R C N N F S D D O A O
T K A A E F A A F G I U G
G L U L I S L I S Q P J P
A B B N V S I O R R X V G
M G G F Y W I N U O O F Z
S A P Z I V L N S R C Z L
L G C Y R A M E S O R J Y
E D Z E I F L E N T I L S
```

CORIANDER	NUTMEG	SAFFRON
FENNEL	PEPPER	SALT
HERBS	PLAIN FLOUR	SOUP
LENTILS	PRUNES	STUFFING
MACE	RAISINS	THYME
MUSTARD	ROSEMARY	YEAST

BIBLE BOOKS

```
O W S N A M O R M A Y X O
Y A J J Q N D X H Z A S S
U H D Y O C U L D A W N C
D X O O J B X M T U C O N
X S L S V K S D H V V I U
L F Y W E Z L T U J I T M
E Z R A R A I P C Q E A B
V D C S T H M B C A S T E
I M A T T H E W G W A N R
T S G N I K G Y E R E E S
I X A A I A A R R E M N
C J M I L E B M U F L A U
U O R R A E L L W G E L O
S H S G H H O S R T R R O
J N J J L E L J V N G T X
```

ACTS

AMOS

DANIEL

EZRA

HEBREWS

HOSEA

ISAIAH

JOB

JOEL

JOHN

KINGS

LAMENTATIONS

LEVITICUS

LUKE

MATTHEW

MICAH

NUMBERS

ROMANS

"E" WORDS

```
E U F E L E P D E S E R E
E B E C F B A E N D K Z H
E D K S S E Q O T A B L E
E Q E E E E D H H E Y V E
M E U N E K Z C U S O E D
E O L A E E I E S K E W E
R H O V L T X E I E R E T
G E G E A S R N A E I H L
E S Y R Y U G G S T B E U
N E R O D L E A T A V E X
C E S I E R R E G T S L E
Y Y T P L E A E S S R D U
R E X Y I E T E G E X E Q
A E W H Y E K S E E Q R B
E A C E E C D V N E H S E
```

EAGERLY	EQUALS	EULOGY
ECHOED	ERASER	EVANESCE
ELDERS	ERRATIC	EVOKING
ELKS	ERUDITE	EXEGETE
EMERGENCY	ESPIED	EXPEL
ENTHUSIAST	ESTATE	EXULTED

BALL GAMES

```
C H A B F O B D O F H Z X
V S U M L D P P T G Z W T
F A L O H S Z C T G N I Q
O U P V A B R V U Q I Q
U Q M A T O L E P P M O R
R S A W Q U G G D I V Q A
S A O U G L I U N N T S S
Q L E N U E P I A G U S M
U T L J K S T P H P J O U
A B M G B E J U C O R F R
R H O E N A E H T N J T R
E L P W C H N L I G E B U
F N L O L A P D P P L A G
H A K W O S J P Y J P L B
K E A M A L U S P E D L Y
```

BANDY	MINITEN	RINGO
BOULES	PELOTA	ROUNDERS
BOWLS	PING-PONG	RUGBY
CROQUET	PITCH AND PUTT	SOFTBALL
FOUR SQUARE	POLO	SQUASH
GOLF	POOL	ULAMA

BAD PEOPLE

107

```
P R A R E R E G V O D B Q
L J A E C N E F L Q U P T
E L R I B K X L M L H N G
A B U J L K T F L A E W F
R N F I W O O Y Y U A N U
E V F Z C O R Y Q L R O U
B R I B E R T N T K E I T
B M A L E C I U A T H L Z
O P N G L L O A R M C L L
R H R F E A N A G K A A O
H O G D S G I D T E O C N
F W B M K T S N V O P S C
L N Y Q O B T A R M C P C
E T A R I P N Y Z J O A K
D R A U G K C A L B E R T
```

BLACKGUARD   FENCE   POACHER

BRIBER   FORGER   RAPSCALLION

BULLY   KNAVE   ROBBER

CROOK   LIAR   RUFFIAN

DELINQUENT   OUTLAW   TRAITOR

EXTORTIONIST   PIRATE   VILLAIN

GOODBYE

```
J F A T A H C T A P S E D
G J X D O T I H U Z E P Q
W A V E I O A I C L N C G
P F U J P O D J H O D A B
E I A R N R S L E L O G I
Y S R R E C Z N E P F L C
B Q T T E V O F R O F G R
E M O B T W O E I G O E E
Y T F T S N E I O O H G D
B R A N O E A L R D R N E
K T J K L C P S L S J I V
A S A Y O N A R A P T T I
J Y Q F N F A J Z E Y R R
T G H D G R V S L E L A R
E G A Y O V N O B D I P A
```

ADIOS	CIAO	SAYONARA
ARRIVEDERCI	DESPATCH	SEND-OFF
AU REVOIR	FAREWELL	SO LONG
BON VOYAGE	GODSPEED	TA-TA
BYE-BYE	PARTING	TOODLE-OO
CHEERIO	PLEASANT TRIP	WAVE

SHORT WORDS

```
N G L U R Q T X A K O S I
S T E R S E F N D C U P J
H X G D P E P E U O C S Z
H L H R I C F T E L E I P
W Q A R I I S T V S B R L
S H B M C H R T I V E C S
S I W I O U S C A N T Y T
Y Q E R O E N N W Z I G R
U N T C Y O W I A V L L A
T P S T C C T C B P O F I
O I X C N C Y C R E P I G
D T R E A H J U U P M Y H
I F R R T O P S P D I A T
W T N I O P E H T O T I O
U M P D Q T W Q M R P Q K
```

ABRUPT	DEFICIENT	SHARP
BLUNT	DIRECT	SNAPPY
BRIEF	DISCOURTEOUS	STRAIGHT
CONCISE	IMPOLITE	SUCCINCT
CRISP	PITHY	TERSE
CUT SHORT	SCANTY	TO THE POINT

ITALY

```
N O F X Q R A T E A D L Q
P V N V M W E T A M E P F
A L A F N O P E R Y O P P
R B L W T F U A N Y G R X
M I I H Q R X N O E S K V
A G M Q C B I R T E L H G
L D L I V F U E L E S B S
O K U X N Z Y P S R T F A
M O A S I I A E R T A N Z
B O L O G N A Q T N E I A
A E F I S I D N I R B B E
R V E N I C E T I I Z B V
D E D X A I R U G I L F A
Y L A Z I O V U M W H V I
M A W A C T M A R C H E P
```

ARNO	LIGURIA	PARMA
BOLOGNA	LOMBARDY	PIAVE
BRINDISI	MARCHE	RIMINI
CORTINA	MILAN	ROME
ELBA	MOUNT ETNA	TRIESTE
LAZIO	NAPLES	VENICE

"DAY" WORDS

```
O R P S V T A W K N V M L
E O K O X P F R R O W H O
Y C G N G S O I P P C S O
T D N L R W I A H T L R H
R H L A I U H Q A S A J C
E S G Z R L T W H R T Y S
P C P I F B Y E V B I L P
P P C M L R M I R E P Q Y
I R I A E F P E Y R S K Y
R E J W U M A R M L O T B
T L O F Q K E A K E H O C
I L A M L G T M O E R A M
F I F K R O K I O K L F E
A D L U D N N R B E C H O
V X S E M I T G W C A R E
```

BOOK

BREAK

CARE

FLOWER

HOSPITAL

LIGHT

LILY

LONG

OF REMEMBRANCE

RETURN

ROOM

SCHOOL

SHIFT

SURGERY

TIME

TRIPPER

WATCH

WORK

BRIDGES

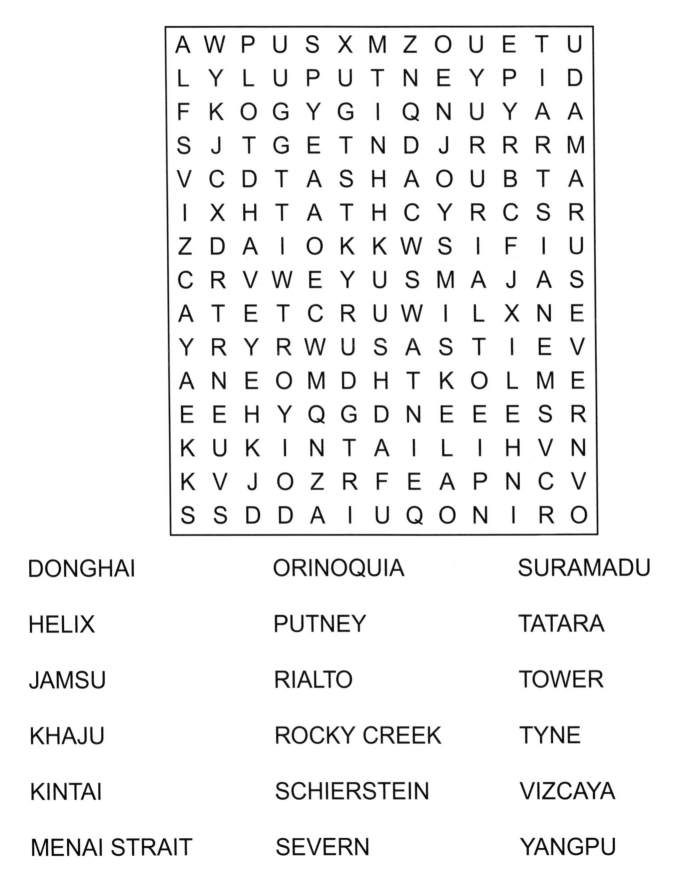

```
A W P U S X M Z O U E T U
L Y L U P U T N E Y P I D
F K O G Y G I Q N U Y A A
S J T G E T N D J R R R M
V C D T A S H A O U B T A
I X H T A T H C Y R C S R
Z D A I O K K W S I F I U
C R V W E Y U S M A J A S
A T E T C R U W I L X N E
Y R Y R W U S A S T I E V
A N E O M D H T K O L M E
E E H Y Q G D N E E E S R
K U K I N T A I L I H V N
K V J O Z R F E A P N C V
S S D D A I U Q O N I R O
```

DONGHAI	ORINOQUIA	SURAMADU
HELIX	PUTNEY	TATARA
JAMSU	RIALTO	TOWER
KHAJU	ROCKY CREEK	TYNE
KINTAI	SCHIERSTEIN	VIZCAYA
MENAI STRAIT	SEVERN	YANGPU

THINGS WITH BUTTONS

```
G T E K C A J E R R M W D
X O B E K U J N A E R W M
O D E N B W Z O D D A R R
A H A K I U U H I N L C D
J O X P J K D P O E A A P
D V D P L A Y E R L E S R
S E C N B O Q L X B R H O
K R N K U L R E S H I R T
H C T A W P O T S E F E A
C O I G G L Z U N X C G L
D A J T K I K W S O G I U
I T M G S B D L U E C S C
X L R E N Y N R D X K T L
L L E B R O O D A K B E A
M G R I U A E J S C Q R C
```

BLENDER

BLOUSE

CALCULATOR

CAMERA

CARDIGAN

CASH REGISTER

CONTROL PAD

DOORBELL

DVD PLAYER

FIRE ALARM

JACKET

JOYSTICK

JUKEBOX

OVERCOAT

RADIO

SHIRT

STOPWATCH

TELEPHONE

KEEP IN TOUCH

```
T V F I G M C H A T T O A
R L Q C R R T X C D P X D
A N E O H G E G N U E P D
P I F M O E Z E L Q W U R
M N W M J I A L T F D T E
I Q M U D N A R O M E M S
Q U Z N L C N C F X D P S
V I M E H K M T T R E G F
Z R A W X W O C X A O T B
J E M A R N B O K N B M C
F F L C R I D N Z F O F K
R G V F E V T V J N T L E
E N B A N S W E R E A Y A
Y F I T O N Y Y Q T I P O
T C A R E T N I Y K H U H
```

ADDRESS	GREET	MEMORANDUM
ANSWER	HEAR FROM	NOTIFY
CALL UP	IMPART	SPEAK
CHAT TO	INFORM	TALK
COMMUNE	INQUIRE	TEXT
CONVEY	INTERACT	WRITE

ARTISTS

```
T T S S R U C Z L C R S R
S K G T U Z P E B B I G U
E P V M H H M Q C A O Y M
W E P R O H T E L P P A M
Y L H J V X S L U F E T Q
N O V J K B I B A M L S T
I Q H A V M V C W B L N R
D W P L D G C P A D E R B
O H C I R D E I R F A E P
R I S I S L G R H E M L Q
C S S R H A U F O K J K I
Y T T E U B R J L A X L D
F L A Q E G B R Y Y E E Y
A E S N O S V O O I C E A
L R S G A U G U I N Y Z I
```

BALTHUS	GOYA	RIOPELLE
DALI	GRIS	RODIN
ERNST	KLEE	RUBENS
ETTY	MAPPLETHORPE	WARHOL
FRIEDRICH	MILLAIS	WEST
GAUGUIN	PISARRO	WHISTLER

BALLETS

```
C C G P T W X T M G E H O
R Y J E C A U Y R L D S Y
A A V C P O E O W O M U N
D M V O H R J N N Z D C B
G N L C R N K D E W A E T
V L Z P O P R I A R K A O
O R A N Y I H N M A O Q B
G X A B B R A E L D Q D O
E M R E A T N N U M V I L
X A R N N Y A S L S I M E
E I O E S W A N Y U T A R
F G V J S D J D O L V Q O
A A O H R S R A E A V X V
L B D J I M Y S Z R M I Y
W A M T O Y B O X V E Y A
```

AGON	FIREBIRD	ONDINE
ANYUTA	JEUX	ORPHEUS
APOLLO	JOB	RODEO
BOLERO	LA BAYADERE	SWAN LAKE
CARMEN	LA VENTANA	SYLVIA
CHOUT	MANON	TOY BOX

FAMOUS FRENCH PEOPLE

```
X R D H Q A I O B T R D F
V E O R D E L A C R O I X
R A B D Q Q M T P H X T T
P K L B I U J A C I N N E
H X E L E N T A R A R E N
Y L R S S R B Y S C B R O
Z G I S S N L S N M E U M
O M O X E T A I B A E A B
K V T F O P V X O Y H L U
R J F D U L X L P Z C T K
A O R A G U I V L Z O N J
S A M U D I Q I G G N I H
B E L L E N A H C I A M
D K C N A R F Y N U B S I
N O S S E R C U R I E F T
```

BARDOT	CURIE	MONET
BERLIOZ	DE MAUPASSANT	OFFENBACH
BINOCHE	DELACROIX	RODIN
BLERIOT	DUMAS	SAINT LAURENT
CHANEL	FRANCK	SARKOZY
CRESSON	MARCEAU	VALLS

FACE

```
T S E F K T T E L Q N X F
B O Y S R E E I Y P V O G
T U E M W E P K E E T S C
S Q L N E S C O W L S O C
D R A E B N W K P D M H V
X T S Q U A D T L P E T F
J E H U L C T S L E W O E
U E E X H Y P E K R R N I
Z F S I Q S X B I E I B X
C S N D R I O N H L N R N
X W N E O N K E R N E W U
X O A N E L A I I F O S U
L R S B E D A T D R K S S
S C E S B H U T F I U Q E
C B M U S C L E N Q K M V
```

BEARD	EYELASHES	LIPS
CHEEKBONE	EYES	MUSCLE
CHIN	FOREHEAD	NOSE
COMPLEXION	FRECKLE	SCOWL
CROW'S FEET	FROWN	SKIN
EARS	HAIR LINE	WRINKLES

NURSERY WORDS

```
R  F  W  Q  S  K  R  E  H  T  A  F  S
E  Y  E  D  E  N  F  C  K  E  N  P  E
D  U  J  H  I  Z  B  R  N  J  G  V  L
W  F  Z  K  R  Z  E  Y  E  T  O  P  D
O  X  L  W  O  T  Z  I  N  H  G  O  A
P  I  P  R  T  Z  U  N  S  S  T  V  R
M  S  B  E  S  Q  N  G  Y  K  G  O  C
U  C  Y  I  J  T  T  O  O  D  S  D  M
C  A  D  L  B  K  T  P  Q  L  Y  U  E
L  P  U  R  Y  S  P  I  H  E  S  O  R
A  O  P  I  E  O  D  Q  S  Y  C  F  C
T  H  T  P  Y  H  P  S  T  B  H  R  S
K  W  I  I  M  A  R  P  O  A  I  Y  F
V  W  E  T  O  Q  Q  E  C  B  L  A  V
T  I  D  D  F  N  F  T  H  S  D  Z  O
```

BIBS	FATHER	ROSEHIP SYRUP
CHILD	LAYETTE	RUSKS
COTS	LOTION	STORIES
CRADLE	MILK	TALCUM POWDER
CRIB	MOTHER	TOYS
CRYING	PRAM	WIPES

TOYS

```
O H B L B E T M F G E D P
G B P H Y H F L M Z L R E
E Q H O C C U P K O C E P
S L Y A P U P P E T Y T O
R O Y R A G D O L L C O C
O P E P O E S L F W I O S
H N F S M U E T H G R C O
G E L E E B N B L B T S D
N D T L C G W D S I S X I
I I Z F A P D A A I T L E
K L B U B B L E S B R S L
C S O Z J E E L L M O F A
O R A T T L E S P S J U K
R M Y H J C A T A P U L T
V S P G F O W C I B B C M
```

BASEBALL

BUBBLES

CATAPULT

FRISBEE

KALEIDOSCOPE

KITE

PUPPET

RAG DOLL

RATTLE

ROCKING HORSE

ROUNDABOUT

SCOOTER

SLEDGE

SLIDE

STILTS

TRICYCLE

YACHT

YO-YO

US VICE-PRESIDENTS

```
Y W D T L E V E S O O R Q
W E I X Q D L F L F F B R
R N U L Y N D N A J O E J
R G M C S Z A A O I G R B
U A B N K O D M W T H Y D
H K I E I R N A U E R L J
T S N D M R D D O R S O G
R L U I V A R L F I T K M
A C R B M R F S Q N O X H
Y U E S E W S C M Q M X T
R U E N V S J A I D M X G
R H R R B Z Y Y L H S B A
E A F U O E G D I L O O C
G G R O T G K Q R Y A N G
M R R E L E E H W J Y D Y
```

ADAMS	COOLIDGE	GORE
AGNEW	DALLAS	MORTON
ARTHUR	DAWES	ROOSEVELT
BIDEN	FORD	TRUMAN
BURR	GARNER	WHEELER
BUSH	GERRY	WILSON

LADDERS

```
J T N L T S A M E H V Y R
L O G G I J Y E O T Y E B
Q L N D L O F R N N I S Y
G I E R J O E T A R K S R
N P H K O K N V T R T E I
I C C R O L I E B E B E Y
K U T V K V L L R T A I B
C U I H D P T I O O E U L
I Q K L G J A C N N S K J
P J K J Q I R S G G K G L
T C E T A Z A E C O J S N
I R L L M C P R O A Y D R
U M O I F O K H T X L S E
R L F O R A Z X P S Q E T
F V T G Y A W G N A G C S
```

ETRIER	LIBRARY	ROOF
FRUIT-PICKING	LOFT	ROPE
GANGWAY	MONKEY	SCALE
HOOK	PILOT	SIDE
JACK	RATLINE	STERN
KITCHEN	ROLLING	STRAIGHT

SUPERMARKET SHOPPING

```
D D Q E W Y S T H M Y M G
S R D O R C X L A I F T A
H B I I F C O N L I V C T
O G A N V F A B T I P T E
P D Y K K G E S Y A T R C
P F S V E S S R H G Z E I
I R N R X R Y Y S I F W R
N H O N R E Y L U Y E A P
G L P D L L X O T G E R G
L K U L P E T F O O D X
I K O W E C I V R E S S S
S R C V I H E C R V L K I
T X K G T N R D J T A G G
S D J N N T E Y J H F H N
S M Y Y A L P S I D Q H S
```

BAKERY	MANAGER	SERVICE
CASHIER	OFFERS	SHOPPING LIST
COUPONS	PET FOOD	SIGNS
DAIRY	PRICE TAG	TILLS
DISPLAY	PRODUCE	TROLLEY
DRINKS	REWARDS	WINES

COUNTRIES OF THE WORLD

```
A A D N A G U Q K X C Y X
Y B C S H X M A Y L T E A
N R E U D E A I Y I X I D
E G N H K Y L N N B R J D
K S Q E S D T E H Y P K V
F V T Q T E A M S A S T T
C R D O Z H D R X O N Q A
O T A H N H E A G P T P M
M S N N J I S R L C J H M
O A H T C B A N L G V Z O
I U L G Y E N K P A N Y I
I A F I C I A L O G N A Z
B R N N G B M M V U E D B
U S A E C Z A Y K A X O S
D D R N H N P O Q M R K O
```

ANGOLA

ARMENIA

BANGLADESH

ESTONIA

FRANCE

GUAM

IRAN

KENYA

LESOTHO

LIBYA

MALI

MALTA

NETHERLANDS

NIGER

OMAN

SYRIA

UGANDA

USA

COURT OF LAW

```
X C B G N I R A E H O A I
E E J H J M B Z Q S A Y M
L J U R Y W S J L U A F C
B A M P C R R R K U A S W
I G N R A S A I N Q T S A
B F I X S E T T T N N A H
S F O W E V I D E N C E F
F S F Y S O A M R W A X J
H K E I O D E T J K T C D
K B K N L L R Z W L I U X
A R C F T I C A U S A S D
Y U E T A I A F W R U T N
P J E L T R W B F A H O A
U S R I C A Y C J D X D T
J N E P L W S H E W U Y S
```

AWARD	EVIDENCE	SETTLEMENT
BAILIFF	FRAUD	STAND
BIBLE	HEARING	TRIAL
CASES	JURY	WIG
CLERK	LAWFUL	WITNESS
CUSTODY	QUASH	WRIT

CHESS

```
L V E T F N E E U Q B T G
D L R D A R J X T O F K N
G E I Y J E A Y A I R H I
A L C M E T L R E R H Z K
M E N O D Z D M R U O W D
B E S U Y N S J N T S J G
I R E H C S I F P U X O B
T P V N F J A W Z R I A S
B L O C K A D E G V O S W
E B M J J B A I I Q C O L
O G S R L L B I S H O P K
P P O R I A I W Y E E Z F
C A M T A C T I C S F X J
N R W E I K K N I G H T I
O G S N T O S S J I F I U
```

BISHOP	FISCHER	QUEEN
BLACK	GAMBIT	ROOK
BLOCKADE	KING	TACTICS
BOARD	KNIGHT	TEMPO
BOX UP	MOVES	WHITE
DECOY	PAWN	WINDMILL

HUES

```
C Y A M R G L K U C I L A
U H T U N T S E H C U A G
L M O Q H E O A A Y Z V N
T L B C I C C N Z C B E I
R V Q E O E X X E W I N D
A H Q J R L L N L M Q D R
M D G I I E A F E G I E B
A B S X E Y S T U I T R J
R E R T N T E O E W P O H
I U S O O T S L E Z R B C
N B B N W U A P L B U Y N
E E E U E N B F N O C I K
R S C A R L E T D A W K K
N J J R C C A B C D Y Q R
G V M T U E L P R U P C Y
```

BEIGE	EBONY	SCARLET
BROWN	ECRU	STEEL
CERISE	HAZEL	STONE
CHESTNUT	LAVENDER	ULTRAMARINE
CHOCOLATE	PEWTER	UMBER
CYAN	PURPLE	YELLOW

UK PRIME MINISTERS

```
U V N O S L I W D T O N R
N V R P B Y L V C H T P X
W A L P O L E R U T V I B
O G J H O N E U B I T B P
R N N V R H F S H U T A A
B A T I C I R S Q Q E L Q
P J J T N O A E G S P D U
W E A D E N P L F A E W B
P H E T M T A L B H L I Q
T L E L P D K C A L H N F
D H D C S R M T H A A F K
G K M T F A T Y J T M C E
Q R O K J L I A T Y A K W
X N H O E J H E A Z O E I
E D R E D V P M N E D E H
```

ASQUITH EDEN PELHAM

ATTLEE GLADSTONE PITT

BALDWIN HEATH RUSSELL

BLAIR MAJOR THATCHER

BROWN MAY WALPOLE

CANNING PEEL WILSON

STORMY WEATHER

```
A C V K Y E L Z Z I R D Y
I S N V V H I Y K A G R L
F M A A Y Q R W I N D Y L
V E H S S E N L L U D K A
H S F H D P I X Y W U Q U
K C D N U M J M E R A F Q
A C U U S L O O T E T J S
Q H G H O O C Y Z E E R B
T G Y T L L E G U L E D P
H Y N G N D C F B W M B Z
G Y P I O E L K O L F K P
U A T H G O R H R E O O Y
O K L S O A S R C A I W E
R W R E U O R E O O D S Y
M F O O S G N W Z T X Z Y
```

BLOWY	GALES	SHOWERS
BREEZY	GLOOMY	SQUALLY
DARK CLOUDS	GUSTY	THUNDERY
DELUGE	HEAVY	TORRENT
DRIZZLE	RAGING	TYPHOON
DULLNESS	ROUGH	WINDY

"HOUSE" WORDS

```
U L R S M E E D S U V O U
W A Q E P K L Z N N T F T
U I R F N O C Z M V R L N
E O F R H A Y A I S E D A
R H F E E I E U L E T G L
R U L E S S L L S L N M P
H S F T D E T E C T I V E
O B B J E O D C U C A M Z
G A J K Z N O E W H P L I
N N F E I Q T S I T T E R
I D Z T C X N U L Z C B T
M N Y Z F A A O E F A A S
R T J F K A S M P H O Q P
A B P E Z K R O W C W G N
W U E E X U L C U E X P C
```

ARREST	HOLD	RULES
CALL	HUSBAND	SITTER
CLEANER	LEEK	SNAKE
COAT	MOUSE	WARMING
CRAFT	PAINTER	WIFE
DETECTIVE	PLANT	WORK

ASTROLOGY

```
F T R E A H A O H G J P A
H A M S M V D X B D O L Z
M O U O N E W Q O E F A Q
T L R V O L P O T I Y N T
S Z C O I N W P N N S E V
R V J O S Q E T E I O T Y
A E I X N C S M M M W S O
T B U R V J O E E E O W A
S Y R O G E U P L G W I F
Q N O V E O B N E A R Q X
C H A R T V R A C S C X Y
B O E R K X R O I T U S B
G U I Y I B W G L L I O T
S H L S I E N T T E V O H
K R I L K N S Z C G O N N
```

AIR SIGN   GEMINI   MOON

ARIES   GOAT   PLANETS

BULL   HOROSCOPE   RAM

CHART   HOUSE   SCALES

CONJUNCTION   LEO   STARS

ELEMENT   LIBRA   VIRGO

GAME OF THRONES

```
S A M W E L L Y R O Y G K
D S D C A G N O C A W Y Q
N P S S N I T J R U R N T
A Z N U W G K Y V E P Y N
L A Q Y N O A E N T L M J
S D T Z T S I R O O S E D
I E Z Q N R P G B I I R R
N Y O C Y E V E E S G I A
O A A E M X D S A L S A G
R X E I C R R D O R N E O
I H A M A E K Q Y B U R N
T J J D C M U R W U L N S
E Q D C S O V A A R B U J
I E V Y Z Z W T S T K T I
T Y I R O I R R O M S E R
```

ARYA	GREYJOY	SAMWELL
BRAAVOS	IRON ISLANDS	SANSA
CERSEI	JAIME	STARK
DORNE	NYMERIA	SUNSPEAR
DRAGONS	QYBURN	THE EYRIE
EDDARD	ROOSE	TYWIN

CYCLING

```
S J J S T L A I R F E R S
M P T A S R A E G B A L P
R U E A X Q V Y H D T B I
N S Y E L C Y C I R T B L
V E O Y D H C N E R W E C
N M S P R O C K E T W A W
N B O L K O M O Q U R R C
A K S P G W H E E L E I T
V E T S T K G J T F I N Y
L U H V A L V E L E G G T
B U G W K Q E E C E R S E
E O I W T Y C V O B R Q M
T F L J Y T B D E I Y E L
I X W T O E C L X R D L E
B P J R S J L U A K S P H
```

BEARINGS

BELL

BOLTS

CLIPS

COGS

GEARS

HELMET

LEVERS

LIGHTS

NUTS

REFLECTOR

SEAT

SPEEDOMETER

SPROCKET

TRICYCLE

VALVE

WHEEL

WRENCH

MORE OR LESS

```
O P T T E J X G N P O T M
D J M R P D K U C V L P S
Y R A T N E M E L P P U S
L P J A X E C V P S M H S
S G P T R Y F X C Q A E D
F J R O D K N A E C J L I
E A U E L F R E S H O M V
N S D M A C E G C F R I E
E F U M E T P Y I F I S R
R R Y I R M E N R U T S S
M N A E K E A R S L Y E E
B F W R J M T S E U G S Q
I E Z Y G M E D S F N W I
F X I I U H D A E E U I W
Z E L P I T L U M Q S D M
```

DIVERSE	MAJORITY	PLUS
EXCEPT	MANIFOLD	RARE
EXTRA	MASSES	REPEATED
FEWER	MINUS	SCARCE
FRESH	MULTIPLE	SPARE
GREATER	NUMEROUS	SUPPLEMENTARY

JAPAN

```
I Z E T O O Q G B W S J W
V I T S T I N M W C G D V
O A A L K O W A X H N C A
U K R W X V N T G X F M O
A I A E V O R O L A A T X
Y T K Z D S N Q M Y N G U
K A V U U I V Z I I N I Z
P Y J S N Q A J H U K D O
T S U G A R U S T R A I T
Y O L S E F N O N I Z W O
F L T K H I K I Y O R Y Y
K D S T A U S O G C B J K
E T E A O X O H B A F Z B
S A P P O R O I A E T J E
J M U L Y S I R B I U A W
```

AKITA	KIMONO	OKAZU
BONSAI	KOBE	OSAKA
FUJIYAMA	KYOTO	SAPPORO
GEISHA	KYUSHU	SHINTO
JUDO	NAGANO	TOTTORI
KARATE	NIGATA	TSUGARU STRAIT

MOTORCYCLE MANUFACTURERS

```
K T Y H V I C T O R Y C U
C Q T N C T T T I T A N R
Y Y T J E R U H O N D A L
P A X E X A E M Y Q X N O
H R M P J D C M P I T I N
S U O A K W T N I N I A C
E U J C H U S R A M V F I
G A Z I O A O A G I N E N
B D C U Q T E L G M V E N
L R X U K A O A I S K J O
L E V U L I C M O H A L C
E V S S O H S S O B P G E
U A U S H O Y S K R R T N
B L U T Y W H I Z Z E R T
N E Z N A K V U S Y N H I
```

BAJAJ AUTO	HONDA	PIAGGIO
BOSS HOSS	INNOCENTI	SUZUKI
BUELL	KANZEN	TITAN
CAGIVA	LAVERDA	VICTORY
GAS GAS	LONCIN	WHIZZER
HERO MOTOCORP	MERCH	YAMAHA

```
H D T C A S A M I L A N E
J O I A H L K B E H C N J
W R M T J R A G L O N D Z
T S E E M A C L I F S W
S V U M W T A O S L Y T M
H P L A I O S H A A G O L
A I Y M H S O T A T L W B
N V R J E U I D I L D E A
E E Q U S R A K W W X R R
H Q M E O G A B A V J B B
J U L N L L U J K M F R M
I X H A G I A S O P H I A
E M A D E R T O N I F D H
P A R T H E N O N E Q G L
D L J U K A K N I K F E A
```

ALHAMBRA	HAGIA SOPHIA	NOTRE DAME
BAUHAUS	HERMITAGE	PARTHENON
CASA MILA	HOMEWOOD	TAJ MAHAL
COLOSSEUM	KINKAKU	TIKAL
ENNIS HOUSE	KREMLIN	TOWER BRIDGE
FLATIRON	LA SCALA	UXMAL

NARROW THINGS

```
M S O R S U M E X W S T Q
W S L T E D X J N R M R Q
F R A A B I S M H A U O T
L V S P N U P T N U L U R
E U X E A F L A F L R G A
H Y R R K Q I C R E Y H C
S F I O V Q N K N N L Y E
E N O L D D T K N U A G P
Z R E D A I E A R B G E O
H Z U E K T R W B A G M R
D O R S F C Y R N R Q T T
I H W A S I F G O S I N H
T L H A R I W G R C L T G
C S B W L A F M D R A D I
H A K F Y Y L N V P V X T
```

CORRIDOR

CRANNY

DITCH

FISSURE

GANGWAY

GORGE

LANE

PATH

RAPIER

RUT

SHAFT

SHELF

SPLINTER

STAVE

TAPER

THREAD

TIGHTROPE

TROUGH

WHODUNIT

139

```
D C Y D O B Z L X Z K A A
Y E C U E M R K Y N V U E
E J A D E L L I K I Y C H
V L C T S I G A O S N F D
I Q L B H I L A E A O G E
T W E A P O N O T C N F S
C W A S T O R I E S I C L
E E D L J X R R L N I F A
T Y S J I E E Y K S Y U I
E S C P H D V R N O Z Y R
D L E N R U Y E A U W H T
A H I U K O R T N L T V K
S E M P L O C S L A I N G
E R B U F C D Y E N E B I
N O I T A N I M I R C N I
```

ALIBI	FORENSICS	LYING
BODY	INCRIMINATION	MURDER
CLUES	INHERITANCE	MYSTERY
CORPSE	KILLED	STORIES
DEATH	KNIFE	TRIAL
DETECTIVE	LEADS	WEAPON

LANGUAGES

```
K V I W I I L A G N E B M
J S H R M S J R C Y C L J
N G R U I H U T J S I I K
A Z E R I M H N G Y A M R
R U S G H A H O D H M A S
N D E J I E L S I A A T B
A R U H G A S N A V R G M
I U G O G G D E W K A Q G
N M U A G I G H M B S W R
I I T A L I A N Z R Z J E
A F R I K A A N S X U P E
R J O Z M V N S W N S B K
K W P E F K I W X W M J V
U P N A I R A G N U H V Z
N A I G E W R O N V C N G
```

AFRIKAANS	HINDI	SUNDA
ARAMAIC	HUNGARIAN	TAGALOG
AZERI	ITALIAN	TAMIL
BENGALI	KASHMIRI	THAI
BURMESE	NORWEGIAN	UKRAINIAN
GREEK	PORTUGUESE	URDU

PEOPLE WHO SERVE

```
L V R A U P A I R T N H Y
S U E K O O C Z R I C N U
S D L Q W M H E A A O N S
E O T V U O T L H W N E T
R O U P Y R R W F A C D M
D R B C O E P T N T I R P
N M L P B F W N F Z E A P
U A M M V A Y E D H R W T
A N A A I W H P S Y G R E
L H M T K C F A R M E G P
C M E Q B O W E G L A T T
M R O E N H V U O P Y E J
E H E O S I D G O C N L Q
W Z D I R B A R I S T A K
B N D D V G I J J C P V Q
```

AU PAIR	COOK	NANNY
BARISTA	DISHWASHER	PAGE
BUTLER	DOORMAN	PORTER
CHAMBERLAIN	DRIVER	VALET
CHEF	GROOM	WAITER
CONCIERGE	LAUNDRESS	WARDEN

HALLOWEEN

```
E U U N J W H A W T S C V
P N N A M S I L A T L T R
C X C S R A I L I M A F A
G F A H P A G A N A U A Y
Z N O O A E K F C I T R H
K R I J Y N L R N B I C K
Y W U Y O E T L M L R H Q
P E V I L E Y E S G O C Q
E I R E E F L J R N N T Q
G O B L I N S R T O S I E
I I T E V J X H I K W W M
B J I H A Y L T S O H G A
W A L M T J O A M W C N G
P S T B P P M E B S M G I
C Y C S P S S E L D N A C
```

BATS

CANDLES

EERIE

ENCHANTER

EVIL EYE

FAMILIAR

FLYING

GHOSTLY

GOBLINS

IMPS

MAGIC

MASKS

PAGAN

POTION

RITUALS

SPELLS

TALISMAN

WITCHCRAFT

COLLECTION

```
Y E T C S T N E M D D O V
T C N U I G A E T I A L E
E A E A I L E E N T S L C
I P M K P G S H G G Z O M
R R T O F A S U R N F M T
A J R W T A T O N N A C R
V S O Q M L U C O D A R C
E J S H M P E I H R R F L
J T S E L E T Y T W R Y A
S I A Z M P L X K C O T S
M A H I O B E A J B J R S
L L M P O B L B N C S P K
H T I P A L E A C G K A L
X C Y B L H M F G X E C W
K P R R K E K N T E K K U
```

ASSEMBLAGE	MISHMASH	PICK
ASSORTMENT	MOTLEY	RANGE
CLASS	ODDMENTS	SAMPLE
EXTRACT	OPTION	STOCK
GROUP	PACK	SUNDRY
MELANGE	PATCHWORK	VARIETY

STOP

```
E U N I T N O C S I D H B
K T C M G R E P N I A W W
A N N U L N S K A L O R W
I W I Q T T N I T R T O P
O N M P A O W L V I C W E
N B L L I V U L A C U S T
O T L O O N V T C H G Q A
B B R I N G T O A N E N D
X B D Q T Z F H T E G D I
H Z C V E E V P E T I A L
W S E T H N R Y O B B I A
J T A V B Y K A R Y U Y V
O W S R B X L O T V P D N
E D E W L K F F L E M H I
T I B I H O R P O E Z B I
```

ANNUL	HALT	QUIT
BRING TO AN END	INVALIDATE	SCRAP
CEASE	KILL	STALL
CUT OUT	NIP IN THE BUD	VACATE
DISCONTINUE	OBLITERATE	VETO
FORBID	PROHIBIT	VOID

"A, E, I, O, U"

```
I O S S U A R I E S E T A
E S U U J A L O U S I E E
N V O O I C F P U A Q L H
O O I I A E K O E N J O K
I G C T S E I Y U A U I U
T E A A A C Y M D S E V N
A Q D T A T E R E O T A A
L U N N E R L M L M A R V
U A E E A E A U U A L T O
G T M T U I U Q S F U L I
E I I S D N Y L I N C U D
R O H O N G O U O V O O E
N N A E I O U I N G N C D
A U T H O R I T A T I V E
A I O U Q E S H L U M A O
```

AUTHORITATIVE	HOUSEMAID	OSTENTATIOUS
CONSULTATIVE	INOCULATE	REGULATION
DELUSIONAL	JALOUSIE	SEQUOIA
EQUATION	MENDACIOUS	TENACIOUS
EULOGIA	NUMERATION	ULTRAVIOLET
EUNOIA	OSSUARIES	UNAVOIDED

HUMAN CHARACTERS

```
D D J C X D O Q D E C L D
Z U R U D A E H T A F T D
C O P A R A G O N O S B F
W H M T W W K R T I P J R
V O X B Q O E E H X I E E
W A R W I L C C F C M P M
G O N T D E O B G A Q W R
I A Z D H S G A E Z G S A
D G E S A Y L R E K O J H
A M T M A L D B N J M Z C
R F D R A Y S A G N H O X
L O S N A U V R L H N X S
I V T D P E M I A M A A Y
N C A D G E R A A Z U K Q
G L F V R E D N U O B H O
```

BARBARIAN	DARLING	MASOCHIST
BOUNDER	DAYDREAMER	MEDDLER
CADGER	FATHEAD	PARAGON
CHARMER	GALLANT	VANDAL
CON MAN	JOKER	WORTHY
COWARD	KNAVE	ZOMBIE

"WHITE" WORDS

```
Q Z C M S C V G T B S Y F
B E F E M R D Z N A T M H
B O I X J I E L H Y N E A
X L C E D A R H C G A D L
Y T O O B Q R K T J H W Q
R E F R R N A T I A A A R
A L F C X P U S W I E R F
L I E H R K U D B I N F D
L T E I H G C S A U C E A
I Z G D A V V I C E T L Q
T V U R T S F K T L R K T
I C H R I S T M A S E B L
R Q D T N S L D T S W N V
F R E P A P W Q K A O J J
Q B K C R A S S N O W A J
```

ANTS	CORPUSCLE	ORCHID
AS SNOW	DWARF	PAPER
BREAD	FEATHER	SAUCE
CEDAR	FOX	STICK
CHRISTMAS	FRITILLARY	SUGAR
COFFEE	LIES	WITCH

SETTING A TABLE

```
E L D A L B G N Z S H J L
H R S E U S I Q R F I M J
T I A Z F K K E T C H U P
O D X G P I W R N V T A K
L O E A E O N A O A V B H
C P N S L N F K M F V R Y
E E Q F S S I E K S N E S
L P I B K E C V B A E A O
B P N D M A R I F I E D U
A E L S L I H T F Q R T P
T R Y P I B X E B Z U B S
W A T E R J U G U O T H P
N Y T L Q V R F P J W R O
K L D R A T S U M F M L O
S J A N A S U S Y Z A L N
```

BREAD	LAZY SUSAN	SOUP SPOON
DESSERT BOWL	MUSTARD	STEAK KNIFE
FLOWERS	NAPKIN	TABLECLOTH
FORKS	PEPPER	TUREEN
KETCHUP	PLACE MAT	VINEGAR
LADLE	SALT	WATER JUG

MOON CRATERS

```
S Y W A Y J E A L P R H S
C R L I R K A G G H V S U
J I S U D Y Z L V E A A R
O I C M C A L T L C V M E
S E B I O E Q O E A G Z S
L P C Z V H R N R D Y V P
O R L O V O E H A A A P I
Q V L M K S R Y D B E R G
V D Y S O N B O T D S V H
G E I G E R N O H C N E I
S F L S J G S R H O H D B
M S N T W M X E U R M E L
A A S B Q T E O V F Q B X
N F C W G L V Y E K O E Y
X P X H E E M M I R G L O
```

BOHR	LOVELL	RADETZKY
DYSON	MACH	RESPIGHI
GEIGER	MOHOROVICIC	RYDBERG
ISIS	MORSE	SCHEELE
KOROLEV	NANSEN	SENECA
LEBEDEV	ORLOV	VEGA

ORCHESTRA MUSIC

```
B  I  P  O  P  X  B  N  O  T  A  B  E
L  V  U  E  L  K  R  R  L  N  G  F  G
E  Y  B  O  R  O  S  O  A  F  A  O  L
L  R  R  Z  Z  F  C  E  S  S  M  R  U
M  E  R  N  S  X  O  C  A  I  S  N  H
R  B  A  E  L  O  Y  R  I  Q  N  R  E
V  M  D  D  S  R  P  T  M  P  G  O  R
Q  A  T  N  E  O  Q  R  I  A  H  H  U
T  H  S  T  I  R  P  O  A  S  N  H  T
I  C  T  C  Q  W  R  M  K  N  J  C  R
M  U  R  O  O  Q  D  B  O  P  O  N  E
B  E  I  U  L  R  S  O  K  C  M  E  V
A  S  N  N  A  L  E  N  O  I  X  R  O
L  Z  G  V  B  Q  E  E  T  W  P  F  V
E  F  S  Y  R  O  T  C  U  D  N  O  C
```

BATON	FRENCH HORN	SCORE
BRASS	LEADER	SOPRANO
CELLO	OVERTURE	STRINGS
CHAMBER	PERFORMANCE	TIMBAL
COMPOSER	PICCOLO	TROMBONE
CONDUCTOR	ROSIN	WOODWIND

F1 GRAND PRIX WINNERS

```
D C D G C H D L R L I A D
R S E E T R U S U L L D Y
A L I I D L A P I T T I F
W H W C V C H E S N K M H
N O U S K P L X N Q B X Z
O S S E V X L A Y A G P X
T J K N H T I P R W T X K
T I H N O A B R N K R U K
U A F A F L I Q E X E E M
B U P F X C A Y M K V I A
B R A B H A M A A D E S R
T A P E F M C Z W B C E I
J I L N W D I C H A M L N
A L B O R E T O R Z U A D
O O Q X P A N I S Z G E T
```

ALBORETO	BUTTON	PANIS
ALESI	CEVERT	RINDT
ALONSO	CLARK	SENNA
ASCARI	FITTIPALDI	SURTEES
BARRICHELLO	HILL	TAMBAY
BRABHAM	ICKX	WARD

INDOOR GAMES

```
A R E S G E T E G D I R B
V A B S F H I Z B I R T O
M U S I C A L C H A I R S
F A V H N Y T V S M E Q N
H E H I B G M E L D G V S
S I K J Z K O F D L H K O
E U D O O N U A W O C D A
N N T E I N R C A A I V W
I L V M A T G G J K L N H
D Z O R S N P G I K O P S
R D W O O M D A N S W G A
A G X C P I P S O M P H U
S Z U R C S Q Q E I Y Y Q
F A V E S R E K C E H C S
E E L B B A R C S R K X D
```

AIKIDO	DOMINOES	MUSICAL CHAIRS
BINGO	FIVES	OLD MAID
BRIDGE	HIDE AND SEEK	POOL
CHECKERS	I SPY	SARDINES
DARTS	JACKS	SCRABBLE
DICE	MAH-JONGG	SQUASH

OCCUPATIONAL NAMES

```
A R Y A M R E W E R B D W
R C D V H P B T K P I R E
E V N R Q U S W R O Q E D
H F C E E A S E U R O Z Y
C U W P A V L B B R R C Z
T F N O C A E D L E Q O O
E T D R H L Z E K D Y X Y
L M M L E P L A R I J J F
F E A E J R M A E R O Q R
W C V S Q E E H H I E E B
I E N B O F W T N S I A H
Y N A H D N Y E S L R G A
X Y S V Y L R M L B M A L
R E C R E M N O E I E M M
N S E R R R C R G K I W T
```

BARBER	FLETCHER	RIDER
BREWER	JOINER	ROPER
COLLIER	MARSHALL	SHOEMAKER
COOK	MASON	TYLER
DEACON	MERCER	WEAVER
DYER	REEVE	WEBSTER

WRITTEN BY HAND

```
G R A E T G N I T E E R G
H P A R G O T U A L G S R
J O U R N A L D E F N S E
T Y M Y A X E X G O H I T
Y H G U O I A K I E T G T
O O A Q D M Y T S O E N E
S M D N P N A S D R L A L
G L Q A K L A O P I R T M
B A P R U Y L R R G A U S
W E T C E I O R O K O R Q
R I L T S C Q U E M X E Y
E A L T F I E D C N E X D
C T E L G I O I S A N M N
T R O P E R G B P G R A A
E H S L E B A L Z T I D B
```

AUTOGRAPH	GIFT TAG	RECEIPT
BANNER	GREETING	REPORT
CALCULATIONS	JOURNAL	SIGNATURE
DIARY	LABELS	THANK-YOU CARD
ESSAY	LETTER	TO-DO LIST
EXAM PAPER	MEMORANDUM	WILL

WET

```
C S R C K Y L Z Z I R D B
Z M Q R F Q V Y L D A G P
M U J U Q N T G X M F C L
U I O N E H X G P U Z L A
D O R V S L C O Z D G A E
D M W Y E X C B O L R M R
Y E D Y D R Y H S R A M S
N H H F P O F S Y Y I Y O
E N N S Q P P L V W N G A
D F Y H A R O R O V Y P K
D Y K T A L T L J W N K E
O W K Y S A P Y S C I I D
S E E C K I J S K K H N M
G D Z X A H M I H X L U G
I V R N X T D W A D D Z L
```

BOGGY	MIRY	SOAKED
CLAMMY	MISTY	SODDEN
DAMP	MUDDY	SPLASHED
DEWY	OVERFLOWING	SPRAYED
DRIZZLY	RAINY	SQUELCHY
MARSHY	SLOPPY	TACKY

NOT ON A DIET

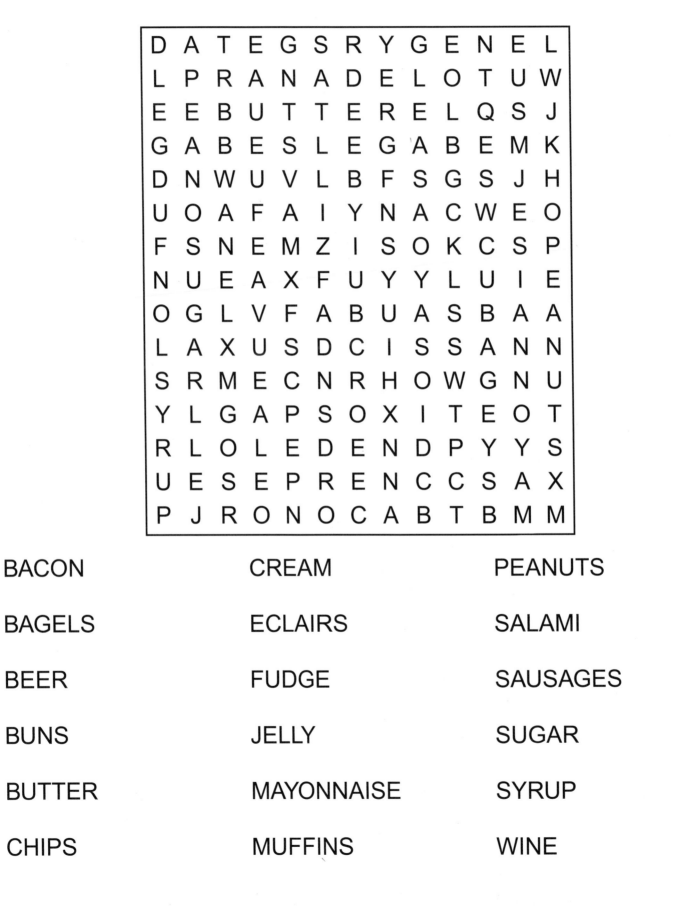

```
D A T E G S R Y G E N E L
L P R A N A D E L O T U W
E E B U T T E R E L Q S J
G A B E S L E G A B E M K
D N W U V L B F S G S J H
U O A F A I Y N A C W E O
F S N E M Z I S O K C S P
N U E A X F U Y Y L U I E
O G L V F A B U A S B A A
L A X U S D C I S S A N N
S R M E C N R H O W G N U
Y L G A P S O X I T E O T
R L O L E D E N D P Y Y S
U E S E P R E N C C S A X
P J R O N O C A B T B M M
```

BACON	CREAM	PEANUTS
BAGELS	ECLAIRS	SALAMI
BEER	FUDGE	SAUSAGES
BUNS	JELLY	SUGAR
BUTTER	MAYONNAISE	SYRUP
CHIPS	MUFFINS	WINE

SAUCES

```
B Z J L P F V N N G E Q S
K L I B C D O G W U X I I
S N A N Q M K B O K Q C A
M Q P N E Z V A R H I E L
W L P L Q G Q E B L P S G
D B L V U U L E R D O O N
S R E J L M E A Q R I R A
C A D X J Y G T M C C E E
A Y R R U C O R T H E I M
I A F E A G K N A E Z R E
O N W B P T B S N V W A R
L R P H R A S K N A Y M C
I O V H I E C U N P I Q W
K M S K U T A U M S L S D
K B W R M K E D S M C F E
```

AIOLI	CHASSEUR	LYONNAISE
APPLE	CREME ANGLAIS	MARIE ROSE
BLANQUETTE	CURRY	MORNAY
BREAD	GARLIC	MUSTARD
BROWN	GRAVY	PLUM
CAPER	LEMON	WHITE

"EARTH" WORDS

```
E Z D N Y B U R Y N T P W
K C B R O W N E X O U G X
A R O U F D T V J F H T Y
U R N S T U I O X U N E S
Q D N M T X L M J I Z H J
P Q R A P T D L M A I Q S
N T O K E E H Y E I I X D
E O B N R O L E E R L V R
T V G O D D E S S Q S N A
E I V N L B K C M F E F W
S A S L I W R N V R P W Y
O N A Q O H B E R R O X E
L F P R R W T A D A P W W
C K H U Q G T O V X S T D
W R Y S I S T D N O M L A
```

ALMOND	COST THE	NUTS
BORN	FALL	QUAKE
BOUND	FULLER'S	SIGN
BRED	GODDESS	STAR
BROWN	MOVER	WARDS
CLOSET	NOTHING ON	WORMS

```
N O Y A R C E B Y N E W F
Y T T U P E L N O L V O C
N Z L T C H F I I L H O J
M O S A I C T D I L C D M
N W F W O A E G N I T C P
D H E B D C D O X U E U A
C O U A N M R Z P N K T O
A A R Q C T C A R T S B A
D G L N C R S L H T V A P
Q V S S O T Y L D C U Y D
E E Z T E O C L T C I V M
O S W L S A T L I C N E P
X I S C I M A R E C U O R
R E L I E F J X A P S N J
G Q H S X R X P X C Z N I
```

ABSTRACT	DAUB	PENCIL
ACRYLIC	GRADATION	PUTTY
CARTOON	MOSAIC	RELIEF
CERAMICS	OILS	SKETCH
CHARCOAL	OUTLINE	TINGE
CRAYON	PASTEL	WOODCUT

INSURANCE

```
M N G N I D A O L E A S U
Y O B H G G S D G N N S T
C I R F K D S R X I N U R
I S Q A B H E A L T H N E
L R U G T E T G H N N O M
O E X M N O S I H O Q B I
P V R C P J R H I T Y N N
C E A E O D D I D F S S D
L R X L P M N Y U U Z T E
D H W A M G P R R M B I R
W E R T H J N A V T R F U
G T R F H J N U N X I O N
Y O J Z P C D T A Y S R E
M S T N E M U C O D K P Z
M I A L C I T A K Q S S L
```

ACTUARY

ASSETS

BONUS

CLAIM

COMPANY

DOCUMENTS

GREEN CARD

HEALTH

INSURANCE

LOADING

MORATORIUM

POLICY

PROFITS

REMINDER

REVERSION

RISKS

THIRD PARTY

TONTINE

PLAN

```
I C N S Y H M T Z C I A P
F L K B Y A O N F S P F C
K Z L J R L W G X A M J X
V K J U P E P I C E R T D
M E A N S U D O T S T D L
N A E G L T R K S I Q A E
Y A R B E D R C N V H R D
B C S G E N H A K E U E O
C K I R A E D L T D I Z H
I D E L M I L A E I Z H T
Z D Y E O E D C C T O A E
R Y E M A P O U T E I N M
B Y D A G R U P U L C E T
B L U E P R I N T P W O Y
O W H J U C Z M E T S Y S
```

AGENDA	ILLUSTRATION	POLICY
BLUEPRINT	MAP OUT	PROCEDURE
DEVISE	MEANS	RECIPE
DIAGRAM	METHOD	SCHEME
DRAFT	ORDER	SYSTEM
IDEA	PLOT	WAY

STAGE PLAYS

```
U G U M M E N H M O G P S
S D U O L C M D U Y W U A
S L G Q H K E A E A U T S
E G M O N T O W G Q S M L
T N W Q G Y D M E D S R K
T R A N S L A T I O N S A
H M A P I U T N C D L E A
E A Y V C N D O N J U A N
V G B P E I P R O O F R N
E L K V A S N I T T L C A
I I D N T D T H V T S A E
L A I R B F E I G N E D L
Y N H A M L E T E D E I O
K F D E L I X E E S E A R
H F I O R P E M E F A Z N
```

ADVENT	EQUUS	OLEANNA
ARCADIA	EXILED	OTHELLO
CLOUDS	GYPSY	PROOF
DON JUAN	HAMLET	THE VEIL
EGMONT	INDIAN INK	TRANSLATIONS
ENDGAME	MEDEA	TRAVESTIES

THINGS WE LOVE

```
T W S E S T R A L G L E T
A L E L Z M V H G S D J E
X C K C S U N S H I N E L
P A A A K W Z O S Q J S E
S N C R E Z R A C P E S V
D D G O S S E Y U I S B I
N Y T L E S C Z R T T M S
O Z L S F I Z O S T N P I
M Y K L S L T B G G E M O
A V O U E S O R I Z R O N
I Y M S U J A W Q V A N P
D A N C I N G Q E I P Y I
Y H Z Z N J X V J R C Z T
A W W Y P L X I E L S Y V
C C D E S A M T S I R H C
```

CAKES	FLOWERS	POETRY
CANDY	GRANNY	PUZZLES
CAROLS	HORSES	SEASIDE
CHRISTMAS	JELLY	STORIES
DANCING	MUSIC	SUNSHINE
DIAMONDS	PARENTS	TELEVISION

COMPUTING

```
X E E B X Y T R N C L U S
Z V X L T C H O B D H M D
E A C U E Q P S L M R I D
N L A J N H M R U F E G P
O S B N O I T U L O S E R
C O L A K Y L C S T N S V
I P E F T K J I S T E A V
W E O I P U V H H P I B E
S K S T R I C P C D E B Q
T A Y A K S H E L L P U S
R U S V N S O F X M N W K
O B T A P P E Q E E K M B
P F E J U E L D M V Z A U
S V M P F W O H B Q U H W
S H E L Y M E Q U D F R J
```

BAUD	EXECUTABLE	OBJECT
BITS	ICON	PORT
CABLE	JAVA	RESOLUTION
CHIP	LINUX	SHELL
CURSOR	MENU	SLAVE
DESKTOP	MODEM	SYSTEM

INTERNET

```
A R H Z V Z H S H J S P V
L R Z Y Y A W E T A G R E
W E C L I C K T J F O O L
E T N F Z S A V E I L R T
B N S C W D G C P N B E I
S U R P L N S A H B E F T
I O G F I S D G F E I S A
T C B F E D A O L P U N U
E L R M R O E E N M A A R
V U A E S T W R Q E S R Y
S R S Z C C Z Z L A F T M
F S L O G O N O Y T W E N
T K D Y T M O C N F X L Q
S E I E W B F I E L D I F
S K L H O I V T J I R F W
```

BLOGS	DOT-COM	SPIDER
BOOLEAN	FIELD	SURFING
CACHE	FILE TRANSFER	TITLE
CLICK	FRAMES	UPLOAD
CODES	GATEWAY	USENET
COUNTER	IP ADDRESS	WEBSITE

STIMULATING WORDS

```
F V J S U L U M I T S E P
P O C L Z G D V W C K Z P
M J M V X A E D F A N R S
M O V E O M T F H F A Y P
A N X G N A A S Q D I I E
V R W Y X T M I S F L K T
H P O M L U I D S L O E H
G E N U S L N P I V H B X
B O V W S E A F O W R S V
Y M L I K E I R R A R O H
C G T C V M P U C B L M M
P Y I J P E R E R Y S S I
V U H E X X R U S G A U C
Q K L E W Y C E P V E T L
P B B C A J O L E S K R L
```

ANIMATE	GOAD	REVIVE
AROUSE	IMPEL	SHAKE
BRACE	MOVE	SPUR
CAJOLE	PROVOKE	STIMULUS
FILLIP	QUICKEN	URGE
FOMENT	RALLY	WHET

GARDEN CREATURES

```
F  H  R  A  P  U  U  M  G  N  J  Z  E
U  G  F  G  U  L  S  R  E  A  Q  L  S
Y  O  A  N  I  B  O  R  A  M  E  A  T
M  H  P  E  W  H  W  F  R  H  I  R  E
O  E  H  T  L  V  C  Z  T  K  F  I  K
S  G  I  S  P  O  V  O  H  Q  D  M  C
Q  D  D  I  Z  R  M  T  W  V  T  D  A
U  E  R  O  Y  A  X  U  O  H  F  A  J
I  H  A  S  E  K  A  E  R  L  N  D  R
T  M  B  P  N  L  T  U  M  U  L  E  E
O  S  B  A  R  I  S  E  Y  P  Q  R  H
T  O  I  R  C  H  F  N  A  G  W  N  T
D  J  T  R  Z  Q  Z  X  A  A  D  P  A
O  N  I  O  N  F  L  Y  S  I  E  A  E
U  Y  S  W  V  U  V  P  S  A  L  I  L
```

APHID	ONION FLY	SNAIL
EARTHWORM	PEA MOTH	SPARROW
HEDGEHOG	RABBIT	THRIP
LEATHERJACKET	RED ADMIRAL	THRUSH
MOLE	ROBIN	WASP
MOSQUITO	SLUG	WREN

HOTEL

```
D M E O H N U D N S D M G
R E L K F D G H R J O U S
F T B C E L X L J F E U K
P I A O H Y O T B S M A E
A U T M C B S D T T E T G
R S C P M A B S G R A L R
K J M L N O E K B E A X E
I F M A J D C D L V G P I
N Y O I X H N U I N A L C
G B E N F E A R B U O N N
Q X K T K S R S B U G L O
A A E E D A T L N U L J C
A N E N Q U N G Y I I Y I
M W V M N N E Z B Y K L B
I N O I T A V R E S E R M
```

ANNEX

ARRIVAL

BILL

CHEF

COMPLAINT

CONCIERGE

GUESTS

GUIDE

KEYS

LODGE

LOUNGE

PARKING

RESERVATION

SAUNA

SUITE

TABLE

TAXI

WEEKEND BREAK

COLLECTIBLES

```
S R G Z G U V O C S N E S
Y G K Y L Y J F G U S S X
O X O R S I F U D G H E E
T T E E F S M L K Q E X V
R S S T H M W H A F L O Y
E A J T S E A F E G L B I
V U O O A H V R A E S F H
L M A P S M A R Q F Z F I
I K M U H W P C S M A U O
S V E B S C Q S P J V N S
R W D S R S Y I L S F S S
V C A N D L E S K N R D M
Q L L W L J P C O M I C S
G M S C U C O S F X V S K
J S N I A R T L E D O M J
```

CANDLES	MEDALS	SHELLS
COMICS	MODEL TRAINS	SILVER
FANS	MOTHS	SNUFF BOXES
FLAGS	MUGS	STAMPS
GLASSWARE	POTTERY	TOYS
MAPS	ROCKS	VASES

FUNDRAISING

```
B E G N I B S E O G N I L
G O R V E G B P L N L O A
M C O W T W L A O F G O T
F I T K G N S H Z N F Q H
A N C H S N T L I A S A W
C C H X G A I B E T A O R
E I Z V K I L L R T H R R
P P K L C E N E I S T U Y
A M A A Z A C E N E H E E
I W J G R N R O C I S D R
N D V P O A I W K A X B E
T L I C K H O I A O R N A
I Y C S S E N K F S F B I
N G W A C G I E E V H K S
G I F G O O D C A U S E U
```

ABSEILING

BAZAAR

BINGO

BOOK SALE

CAR WASH

CONCERT

DISCO

FACE PAINTING

FASHION SHOW

GOOD CAUSE

HIKING

KARAOKE

NEWSLETTER

PICNIC

RACE NIGHT

RAFFLE

SPONSOR

WALKATHON

CUSTOMER SERVICE

```
W A Z X B P Y Z T S J N H
G T P C L J T R R Z Y R X
P T C L P M L Y O U Y E T
I R I A P E A V P W N C N
H K O V T G Y H P H O N E
S D T D I B O V A T F O I
R O N H U N L L R R I C L
E P L E X C Z A I N V A C
N H L U W K T S Q S E A M
T J A E T N F U Z L T L R
R R C S H I I S P L Q E M
A C U X N R O O G T C M N
P A I S Y N E N W K E J A
A R Q V T P O Y S G N A P
M E S S E C C U S V H V M
```

CARE	LOYALTY	SKILL
CLIENT	PARTNERSHIP	SOLUTIONS
CONCERN	PEOPLE	SUCCESS
HELP	PHONE	TACT
INQUIRY	PRODUCT	TEAM
LISTEN	RAPPORT	TRUST

SAILING

```
H B D R A Y L A H J Q T Y
O E L R T S J U J S Q F R
E A L B N N B S F S A B Q
J M V M E E V V F F O W Y
T T F W R O H C N A I A L
U Q E T R B L U T M R N U
R X H K U U W S T P R L G
E E O P C O Z O S H Q L Z
P E T K Z A G G Q W C Y V
P M G C B N J T R A V A T
I Y V A A J T E R I C E Y
L M F Q G X V G F H K S O
C T O P A X O R I I U R I
E B B O M X U E Y Q L L G
R C B P B S Z Z T U R C L
```

ABAFT	CARGO	LIFE JACKET
ANCHOR	CLIPPER	LUFFING
BEAM	CURRENT	SPRAY
BERTH	HALYARD	SURF
BOATS	HELM	WASH
BOOM	HULL	YACHT

SCHOOLDAYS

```
Z G C K R P D Z C V S J K
V V A K X W X Z I W A R G
O X Z M S B G Y T S E N K
K S T S E T A E P N I Q H
H C A L P S M V R T L A Y
O P L H S A X U I M T R G
C I Y E X M B R M R A O P
K E S E W N W M O G D N D
E S P V E N K P S O N E D
Y C E S P X S X K Q E C N
K I N D E R G A R T E N Z
J U G T S R G Y A S T E G
B E E J E G X D M Q N I O
G S Y E C L K T Q Z A C A
G B K S U B L O O H C S H
```

BELL	GAMES	PASS
BUNSEN BURNER	GERMAN	SCHOOL BUS
CANTEEN	GREEK	SCIENCE
DESK	HOCKEY	SPORT
ESSAY	KINDERGARTEN	TESTS
EXAM	MARKS	WRITING

SCARY STUFF

```
E L B A D I M R O F E X R
L E T L C G Y K O O P S E
A F R N R C O T O R T E T
H G N I V R E N N U E S S
O C S W E D G N F B N F I
O L Z X I P M B R G V K N
Y Y P R Q F G O H O R B I
W L R W L H D O R G J L S
F O E E A U U E R B Y O U
H Y Q S V L F U M P I O K
V U T W I I E D E O E D Y
P L R S E S H E A M N Y Q
Y B H V O I R S T E R I A
S O I M J C R Q M F R X C
Z L E U J R H D R J S D A
```

BLOODY	FORMIDABLE	MORBID
CREEPY	GHASTLY	SHIVERY
DEMONIC	GHOULISH	SINISTER
DREADFUL	GRISLY	SPOOKY
EERIE	GRUESOME	UNNERVING
EVIL	HORRID	WEIRD

RACECOURSES FOR HORSES

```
H S Y R U B S I L A S Z S
B A Y A L A L L J T F X N
Z A E G P O S A L I M D W
Y N P L K P X L M N H Z O
L W E G A D D E N A H R D
L N J E O I D B H A E R Y
I T O W E A H E Q T O W K
T E N T A I D J E N H O C
N S R I G E L X F A H O U
A M H O L N E S N S R D T
H Y I H M Z I S R O L V N
C S I I M A H L P E L I E
Y O T N V I R P R V L L K
I R Z A N L A T W A N L B
B E S C K S R I H T S E E
```

AJAX DOWNS	HANSHIN	SALISBURY
ARLINGTON	HIALEAH	SANTA ANITA
CHANTILLY	JEBEL ALI	SAPPORO
DELHI	KENTUCKY DOWNS	THIRSK
ELLERSLIE	MYSORE	TRAMORE
EXETER	NAAS	WOODVILLE

BREAKFAST

```
S T O C I R P A N J M K M
T G S K S N A I B U I A H
C D N C T A K P E Y R S C
H M A W R M U S F M G O C
H Y E A U P L S A C R Y S
H A B F G I E L A N D H T
S E Q F O Y A S F G K G N
E T L L Y D C L Z O E Q A
O F J E E Z A T A N F S S
T O A S T K V T W H K D S
A T M Q E M M N V O W B I
M O O S Y E O X A N R Q O
O P P O A C H E D E G G R
T J Y L A O Y A A Y B D C
Y D B B N X J D M V F B D
```

APRICOTS	HAM	POT OF TEA
BACON	HONEY	SAUSAGES
BEANS	MARMALADE	TOAST
BREAD	MUESLI	TOMATOES
CORNFLAKES	OATMEAL	WAFFLES
CROISSANTS	POACHED EGG	YOGURT

FURNISHINGS

```
B E D A E T S D E B N I T
A O M G P F K F Z X P F E
R E O U S H S M O N V Y N
M M S K A E Y E P V T I I
C I B G C E T V J I S J B
H R A V W A R T N N E D A
A R X D H B S U E G H R C
I O V X I B I E B E C A M
R R O H X F H D P T D O B
N Y Y N I C N J N A F B Y
S Q W H A T N O T V R E W
O E U R E I X K D Y R D T
F O V E N F P E L E L I E
A E X D L C S W P T K S A
R L T U X K E D O M M O C
```

ARMCHAIR	CHEST	OVEN
BEDSTEAD	COMMODE	PIANO
BOOKCASE	DESK	SETTEE
BUREAU	DRAPES	SIDEBOARD
CABINET	HI-FI UNIT	SOFA
CARVER	MIRROR	WHATNOT

PARIS METRO STATIONS

```
P B J H G T E D A C V N B
H G O E O A O U X O E D U
I E D U N C H G L K J U E
L U J K C N H T H K X S G
I X S K O I A E N I I W E
P S Q R U I C O L A J S O
P O V G R C X A H J C R R
E A T E T H A C U X N E G
A E U W M L A I L T O V E
U K E M Z L I I B C E N V
G X O M E N B A O L D A L
U A M R I E I R P R O M E
S N E M R R U V F S Q T K
T P U T N D C T A B A J P
E S E T C B H C F V C R J
```

ANVERS	GEORGE V	PHILIPPE AUGUSTE
AVRON	GONCOURT	RASPAIL
BOUCICAUT	HOCHE	ROME
CADET	LIBERTE	TOLBIAC
CRIMEE	ODEON	VAVIN
DUROC	PERE LACHAISE	VOLTAIRE

MADE OF GLASS

```
J S E L C A T C E P S P L
R C P X Z S A B P A D S W
O O M M W H B O T T L E O
R L A T F T B N K P K U B
R D L J S R U G S H P A C
I F U Y O A K M A G I Z T
M R V S Z Y R C L E N G E
A A V D S E Y C F M C S L
R M N I L A R Q O P E U E
B E Q B A V L N P S N N S
L Z M J L C O G N J E L C
E U T V S C R E E N Z O O
T S J H L E L S Q N M A P
L D A E L P Y I L A I B E
X M X V I S D A E B S W U
```

ASHTRAY

BEADS

BOTTLE

BOWL

COLD FRAME

FLASK

LAMP

LENSES

MARBLE

MIRROR

MONOCLE

PINCE-NEZ

SPECTACLES

TELESCOPE

TUMBLER

TV SCREEN

VASE

WINEGLASS

COUNTRIES OF THE EU

```
F E D S Y F M S N H Z Q R
A K B L U X E M B O U R G
B I A I N O T S E G U W Y
Y T K L C O J F W C A E P
I Y N A M R E G J E H F B
N H I T V H O M L P D E F
S D A V J O A A O C L E U
U P P I Y I L R T G W J N
R M S A R A T S I I L H M
P J C T G U H U N G A R Y
Y O S H G A M Y R H T X A
C U L A N P X E N P K L T
A C L A O A E C N A R F L
C M T G N C T Z Q P Z S A
C L X T E D E R Z W E W M
```

AUSTRIA	GERMANY	MALTA
BELGIUM	GREECE	POLAND
CROATIA	HUNGARY	PORTUGAL
CYPRUS	ITALY	SLOVAKIA
ESTONIA	LATVIA	SPAIN
FRANCE	LUXEMBOURG	SWEDEN

SPYING

```
T R U C U P L O P J Z S V
I D E N T I T Y Y O R P T
H B U G G I N G J E O C A
I T E Q S L E U T H A N T
C T L D I K G R N T T C S
K N R A S U A R N R A P B
A E O X E U I O E T R C U
G M T J Q T C A L D E O D
U N I D B P S Y O G M L O
H R A E R O K F K L A D H
S E R B N U F A E S C W L
H V T R Z I S N O J I A K
A O D I C B M S P V C R J
U G Y E E V I T I S N E S
M T R F V F J C B A T T N
```

AGENT   GOVERNMENT   SENSITIVE

BUGGING   HEADQUARTERS   SLEUTH

CAMERA   IDENTITY   SNOOP

COLD WAR   OFFICER   STEALTH

CONTACT   RISKY   TRAITOR

DEBRIEF   RUSSIA   TREASON

CIVIL

```
C I T A M O L P I D E B D
R E U S O E B C K M C P E
J U N Q D S T L O J W L N
N C N A J D I I S M A I
W E L L B R E D L G O I F
S U O E T R U O C O I T E
L A I N E G U K R C P N R
U G G T D U T I F U L E G
F A R E C S E Y K N L R R
T L B T N V D A Z B B E A
C L U H A T G J A U M F C
A A P U L G E I N J H E I
T N S A E P M E D Q H D O
P T C N L A D Y L I K E U
E V I T I S N E S Z J T S
```

AMIABLE   GENIAL   REFINED

COURTEOUS   GENTEEL   SENSITIVE

DEFERENTIAL   GRACIOUS   SUAVE

DIPLOMATIC   LADYLIKE   TACTFUL

DUTIFUL   OBLIGING   URBANE

GALLANT   POLITE   WELL-BRED

LANDLOCKED COUNTRIES

```
O A G A P E J X D V M I W
V B K X O E T H I O P I A
O S E R B I A C G O T L N
S O Z M E H A I B M A Z A
O C A X S G B W G P D I D
K L I X D W I X E W R A U
I Y Y A N A A N X B Z Z S
E Y H B L B L Z E B O O H
M C R W C B Z L I H A A T
A A X O H S A E T L D P U
U B L U A R R O D N A M O
Q K T A U O S E A D Y N S
N A V S W E Q W A L W H D
N M X E L I R D E H C S Z
T S N A T S I N A H G F A
```

AFGHANISTAN	KOSOVO	NIGER
ANDORRA	LAOS	RWANDA
BELARUS	LESOTHO	SERBIA
BHUTAN	MALAWI	SOUTH SUDAN
CHAD	MALI	SWAZILAND
ETHIOPIA	NEPAL	ZAMBIA

VARIETIES OF TOMATO

```
S I M U T Z P R Q L J A S
M T I A K T O K S A M R Z
N F G B P I R A N T O E E
O T O T D A L O R R E H C
I J J U O R E P A A V B K
L Y L W T T A P Y T S Y O
L O J Y K D Y N N E J T A
I S A C N I O R Q E E H A
M S H M P O Q O O A Q M H
T A A Y Q S M Q R W U L T
E F T R O R A M A G A E V
E L A I B T P K I X I F H
W A L A N E R D U L I R B
S M L D V A T U U R R U L
R E N E X G C J A J A L N
```

APERO	JENNY	MYRIADE
ARASTA	JULIET	ORAMA
CHERROLA	LATAH	OUTDOOR GIRL
FAWORYT	LIMMONY	PIRANTO
FLAME	MASKOTKA	SAKURA
INCAS	MATINA	SWEET MILLION

STITCHES

```
P E L O H N O T T U B I B
M X F C N G C D G V V F T
P A Z O J I D S N B L X H
N F J R D C T P U I B B J
A P M L B L Z A T A L O L
V J O V E R C A S T N B S
L G R Y U L P K H P C B L
O M E P U I E N F R B L I
N C S G H T T Z O R C E P
G O I W U H S S O W H K L
C R I V K U S S S C A C J
S A I L M A K E R S I O T
B L T Q Q E P N R I N L E
V O K C A B N W H D G L N
A H H D H G M E M F V X T
```

BACK	CHAIN	OVERCAST
BASKET	CORAL	SAILMAKER'S
BLIND	CROSS	SATIN
BOBBLE	FAN	SLIP
BUTTONHOLE	LOCK	TENT
CATCH	LONG	WHIP

READY

```
W E S R O R A E S T A C K
B O J R A S R E G A E L S
F E A L T K D G K R V Y W
B I R U S O M E E F I Z G
G W T B N H E T T N T F E
S E A E G N A I O P P P A
T R E L A I K R P P E O R
P F A T D R D P P G C F E
R S I E G E R L I T R X D
K A M Z R O A A M O E X U
C M O V M N Y F N Y P C P
I V Y P N G I L N G Q T C
U J T E W X O O G A E H L
Q A D B E O W G D S B D O
A V A D N T Y M A S U T H
```

AGOG	FIT	PERCEPTIVE
ALERT	FIXED	PLANNED
ARRANGED	GEARED UP	PROMPT
ASTUTE	IMMEDIATE	QUICK
DONE	IN ORDER	SET
EAGER	KEEN	SHARP

"CAN" AND "TIN"

```
C A N N E L L O N I B E S
N G C G R E T S I N A C U
C A N A R Y T S E I N I T
D I T R N N U I T I N C I
T I N I K O A A N C K A N
E E C A N R P T A K A N N
T X L A N T N H I B E N I
I B T I N K B T I N N R T
N C T I B V I L B L A I H
C O A I N A A T O E I C T
T N Y N N P T S I C X S Z
U I A N D D L N F N K Y T
R T A C A L E A A A A C N
E J T I N C E R T C A C A
L E S N I T I N L E N A C
```

CANARY	CANTABILE	TINGE
CANCEL	CANVAS	TINIEST
CANDLE	CANYON	TINKER
CANISTER	TIN PLATE	TINNITUS
CANNELLONI	TINCTURE	TINSEL
CANOPHILIST	TINDER	TINT BLOCK

COCKTAILS

```
D T T P E L U J T M E N F
R E S I A R M O O L G M V
R L G O C O B B L E R W C
E M H P H G W N R O H H N
V I R A W O N A M I I W P
I G I N F I Z Z T C A L C
R O T I J O M E H R W P I
D D N Q M Y R I C K E Y N
W B F B T U D M A I T A I
E T I Q S Q V A I S G C T
R E N S L G D P L G I D E
C O I M H I F A I K W Q K
S A K J T O Z K A A N S A
N T B A J J P Z S U I I S
B H B E T X N O R B B I P
```

BATIDA	GIN FIZZ	PINK LADY
BISHOP	GLOOM RAISER	RICKEY
BRONX	JULEP	SAKETINI
CHI-CHI	MAI TAI	SCREWDRIVER
COBBLER	MAN-O'-WAR	WHITE RUSSIAN
GIMLET	MOJITO	ZOMBIE

GARDENING

```
X A D R A H C R O X E Y E
Q E N I B M U L O C Q N N
E L P B V K H N A U U O R
Y M B E X C S R G Z L I H
P H O E Z R P C A I T T O
L R L O B W O Y V R R A D
J I I J R U R E E O W G O
J Q U C L B C E T I L I D
E S O I K H S O B Z G R E
D D T X U I T U X F Q R N
B R I A L I N R E B B I D
U L K X I A G H K X P R
L U J L T K P K O W Q U O
B V E C E N S I H U P Q N
S R Z S K O P Y C J T U Z
```

AGAVE

BROOM

BULBS

COLUMBINE

CROPS

DIBBER

ILEX

IRRIGATION

OLIVE

ORCHARD

OXEYE

OXLIP

PRICKING OUT

RAKES

RHODODENDRON

ROTOTILLER

STALKS

TREES

CHEMISTRY

```
L N T N M Y F F K F X N I
G P P S B I R D R M H K Y
U O R D U A Z X E N O N Z
C H A I N R E A C T I O N
H E R C B G N H N A R L I
R E I A C O R M N L E A L
O U N C R N N O U S P S A
M Z L I I X D U H I Z J K
I V N R D E S M C T R C L
U F C T M O G N O L A U A
M K L I Q U I D E E E L C
K E E N Z Y V Y S T Z I C
P Q U I C K L I M E T Q C
G S N D C Y U H J K A L I
T C V H Y M E N M N I A N
```

ALKALI	CURIUM	QUICKLIME
ANODE	FRANCIUM	RIBONUCLEIC
ARGON	IODINE	RUST
CAESIUM	IRON	TALC
CHAIN REACTION	LIQUID	XENON
CHROMIUM	NITRIC ACID	ZINC

PLANES

```
V F L E T R F L Q M G F P
N J C Y X R O P E L K O R
E D R O C N O C W U I K R
H J A X G H I P P J F K H
D A T H D R E N I G N E X
A G A R O T A V E L E R R
N U B L R E I E L C E E I
L A X Z M O K N F F H H O
E R O T I U F A I R N E H
G C F P N W R L T Q X E K
A S K L V X S P T N P D U
R O L L I N G L E P I U S
I Q O U R G F I R V T C S
M X W U A Q H A P M C D N
X L I I I T J T B X H K D
```

CONCORDE	FOXBAT	NIMROD
ELEVATOR	HELIPORT	PITCH
ENGINE	INTAKE	REFUEL
FITTER	JAGUAR	ROLLING
FLIGHT	LONG HAUL	SUKHOI
FOKKER	MIRAGE	TAILPLANE

LAKES

```
D R M H O R N F C M E I E
I A V L C C I L I I I A V
L C H U L I A W R I K Z N
S H V C A E R E E I W E O
P I T O S W T U Y R A D R
K V M D A C R N Z G Y A U
N S W D Y C A Y H V B E H
A N E J N G H G I A S S D
S M R F N Y C C Y T U N G
I A W A Y O T A I P A A V
J W T E V O N J I B K I H
A U G M R F O E R D K P Z
R P G I A U P M G L X S I
V O A O N T K X O A L A J
I E R E M R E D N I W C P
```

ABAYA	KIVU	PEIPUS
CASPIAN SEA	MWERU	PONTCHARTRAIN
CHAD	NASIJARVI	TANGANYIKA
ERIE	NEAGH	VICTORIA
EYRE	NYASA	WINDERMERE
HURON	ONEGA	ZURICH

HARD WORDS

```
L T L U C I F F I D P N P
S T E E L Y N N O M L T G
R Q M D A A U T K C V V G
P I C E G M B N R B F N M
Y G G F B S Y O R E I M E
V T R I C K Y A R K P T Q
A S C N D K V T A I A I X
E A E I H E O E A R O V D
H Q L T F I R M U E L U I
T O T E L B U D L R P S S
S O K S K D B T U E T Z F
A W O C W O S G A V S A R
E M A Q Y P R V R E I I P
E B Q W B T U O T S Q P Q
X Y E L B A D I M R O F C
```

BACKBREAKING   HEAVY   SEVERE

BRAVE   INTREPID   SOLID

DEFINITE   LABORIOUS   STEELY

DIFFICULT   NUMB   STOUT

FIRM   OBDURATE   TOILSOME

FORMIDABLE   RIGID   TRICKY

SPRING BOUQUET

```
F N P Y A L L I C S P S O
P O Z S L J A B G K U I R
E I J T U I I T E C T O M
R P A B C S L E O O L G O
I M I X I V V R N E A U H
W A S L R Q C E R L E F T
I C E F U A M O L K S B N
N D E O A T B I T Q O O I
K E R X E E U E D R R T C
L R F G L M L V A F M J A
E D R L P O T M T F I I Y
P O E O I A S Q D X R D H
F H E V J O N R T I P S V
T A N E N D Q S S U O H R
V M R S K W K B Y E F B I
```

ALLIUM   HELLEBORE   PRIMROSE

AURICULA   HYACINTH   RAMSONS

CROCUS   IRIS   RED CAMPION

FORGET-ME-NOT   LILY   SCILLA

FOXGLOVE   PANSY   TULIP

FREESIA   PERIWINKLE   VIOLET

"D" WORDS

```
Y D O K E S E C O I D A D
R N Y F D D S D I D P N E
A D D E H I I E D T O D P
T O E E D C R S R R V A H
N D F L K E G E D U C E D
E D M E A N D E C A D R D
M F N D D W H U D T I D G
U S B V P A A D C J O N D
C D D S C D R R W E I R J
O A U E D A G P E L I E Y
D K D C C G A D R Z H D D
T O J H D A M A Z M T U D
D T M A U G D L I R A N Y
H A V R N L E R H D E E A
D E A W D D O T T E D S D
```

DAKOTA   DICKENS   DOTTED

DARLING   DIOCESE   DRACHMA

DEATH   DIRECTORY   DREAD

DEDUCE   DISDAIN   DRIZZLE

DEEDS   DOCUMENTARY   DUNES

DELAWARE   DODECAHEDRON   DURESS

TIME

```
C A O E C G I N S T A N T
T E T S N T A K D E H N R
N A H T N I E Q E H C C Z
R A Y O R E L B T S U A A
C R B P W R H E J V B L P
L E Q N A L E T T S M Z T
X G D E O A Y C A A X E L
X U Y H X I J M N H D M I
A L H F R G T A E O T O N
R A I A C S C A T P K N P
Y T V I I H H R R M S O S
M O N R O I V O N E E R N
A R H E T F V O N T N T R
G C K Q L T O N W G T E Z
M O N R T S R P I C E M G
```

ALMANAC	METRONOME	SOON
CHRISTMAS	ONCE	STOP
DATELINE	PACE	TEMPO
GENERATION	RATE	THEN
INSTANT	REGULATOR	WEEKS
LENT	SHIFT	YEAR

GODDESSES

```
F T E V E S T I A G U X E
A Q Z X E V S R C G R A T
A M G S G N A N H I M R H
I V P D T T U U R D O A
R A J H H C A S Z F N R T
O P V S I B R N F E E U H
T E I R Z T A B W R L A O
C R I H E I R D U V E L R
I S F M T N I I A U B Y M
V E I S H R I I T H Y B A
L P E D R S R M I E C A Z
C H X E U E K Z C C M X T
Z O C A N R M A N A I D Y
V N I E K N G J L T L Q Y
D E E Z E O C A R E R C K
```

AMPHITRITE	FREYA	ISHTAR
AURORA	FRIGG	LAKSHMI
CERRIDWEN	HATHOR	MINERVA
CYBELE	HECATE	PERSEPHONE
DIANA	HESTIA	VENUS
DURGA	IRENE	VICTORIA

THINGS THAT CAN BE SPREAD

```
E I A T W F T T E E H S S
X S U I H K R Z A V S D W
I D A L T B V I J O I B E
P V A E Y A F P V L S S N
T O L M S G N I W G M E W
K S Y O A I Q X L F R I A
D D O N T G D R U I E J U
R E H C B V E D F S G U X
A E V U E M O D S I W B S
T S C R R H L Z D M S U M
S A P D U I T N Q C R E A
U I H J W R X E W I T D E
M W J I K R A I V A C W R
C T K L N N G T P W Q I C
N Q X Q C I K O E D I R A
```

CAVIAR	LOVE	TAHINI
CREAM	MUSTARD	THE COST
DAMAGE	NEWS	VIRUS
DISEASE	PATE	WILDFIRE
GERMS	SEEDS	WINGS
LEMON CURD	SHEET	WISDOM

HAPPY

```
P H T D Y R Z C Z T K A W
L X G N E R U S Y R Y A G
O I A P A L R J D G K J S
J C V H E T I E B A C R A
O O X E L R L G M Y U H E
Y N C V L L K U H G L A D
F T X U I Y D Y X T W I Y
U E W R N B O E A E E Q L
L N H D M D C E S Q G D L
I T Y J D Y B Z D A T F O
Y N N U S P H J C I E T J
O F A H U Q M E H T I L B
H C S U O R U T P A R Z P
O K W J R T T B K E S A N
R I A N O G N I K L A W E
```

BLITHE

CONTENT

DELIGHTED

EXULTANT

GLAD

JOCUND

JOLLY

JOYFUL

LIVELY

LUCKY

MERRY

PERKY

PLEASED

RAPTUROUS

SUNNY

THRILLED

UPBEAT

WALKING ON AIR

AROMATHERAPY

```
H P I U C A A K L R N G H
P C Q S L N Z A H Z T R Y
A E G M E I U B R A R W P
Z R O B I Y O T G Y G F G
S N R N T S C E M E R I L
D E S T Y X T I Y E N O R
V C R J R E M L E G G R C
C T E E S O J S E N U E Y
I A U L S I I R A T D D R
K R F A M A O M G A O N A
S I N E Z J K I R W L E M
M N L X D C S W Z E B V E
B E R G A M O T W O X A S
S S Z T N O H B A S I L O
S I R C D C H W L D K D R
```

ALMOND	GINGER	NECTARINE
BASIL	LAVENDER	NUTMEG
BERGAMOT	MANGO	PEONY
CEDARWOOD	MIMOSA	ROSEMARY
ELEMI	MISTLETOE	TAGETES
FREESIA	MYRRH	VERBENA

CAPITAL CITIES OF EUROPE

```
S I R A P O Y E S O P N S
B S N H K B M I O O S L A
N E I D J O R C C O K L Y
W A R W R V T U F J R O O
R I M G A Y U I S N D S P
I E J S A T A L E S U H M
G F Y L T Z T G G I E H M
A A K K I E A E N X P L Q
V S I K J H R L L E E V S
A N N I N A I D Q L L W K
D S Z E L V V X A I A S U
U A P V H I F I J M N V R
Z O O U T T Q K K I Q N I
C H I S I N A U M I N A R
N O R U D Y N I L R E B H
```

AMSTERDAM	KIEV	ROME
ATHENS	MINSK	SOFIA
BERLIN	OSLO	VADUZ
BRUSSELS	PARIS	VALLETTA
CHISINAU	REYKJAVIK	VILNIUS
COPENHAGEN	RIGA	ZAGREB

Solutions

1

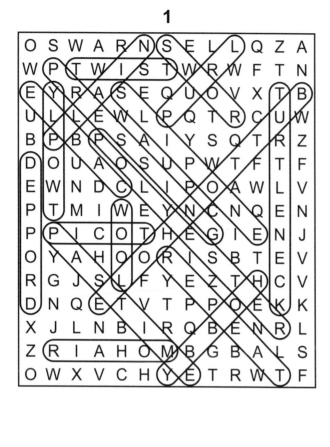

2

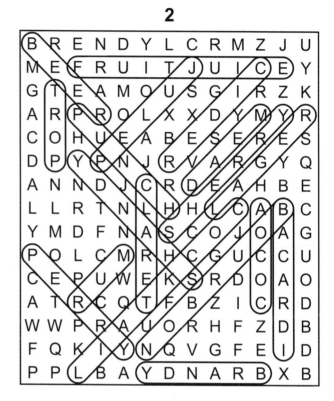

3

```
B V E Q G W I Y R Q B L J
Q D I D K Z B K I A I H Z
G A R R Y A L O O M D P G
C B E O O T S A T A E E R
P Z L Q J N L B M N N L C
G O C A E M K I A I I I D
L L I H C R U H C R I M E
B K F N E K L H C J B R C
W C S V T S M C X U E U O
L F G I N C O H C A N O N
P A X W M H O N F Q H F W
H B T I J A K Q E H Z S O
D E S C H A M B A U L T Y
V R M W Z X Z J Q N L E T
D Q J C O N T A R I O B O
```

4

```
G P I T B Y L L I H C G P
U S M Z A E H G U O G B R
S D N H L Z R V S T W F S
T L Y C A A C A J W O C E
Y O I P S S L T W A R B L
F C F H P M L J E T L E P
I R E R R I G X X E I D M
D Y A I Q N N B A R L I I
C A Y C I E I K B B S S P
M R O T S W O N S O T E E
O Q A L S Y Y S A T R I E
O K J L S O G J N T F I F
S Y C M U O R K W L X F O
R N G P L G G F S E L A G
Y R T N I W S H E S J D V
```

Solutions

5

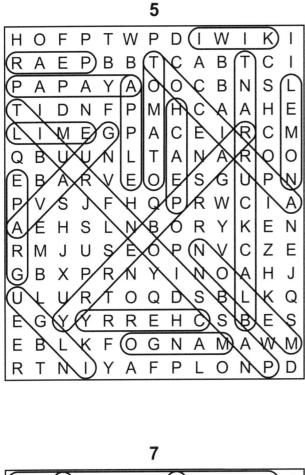

6

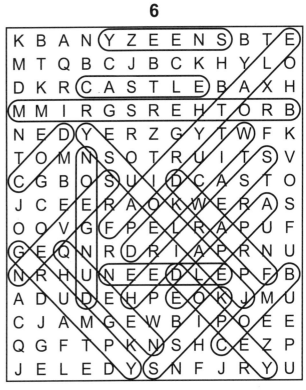

7

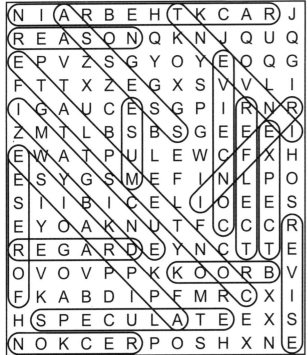

8

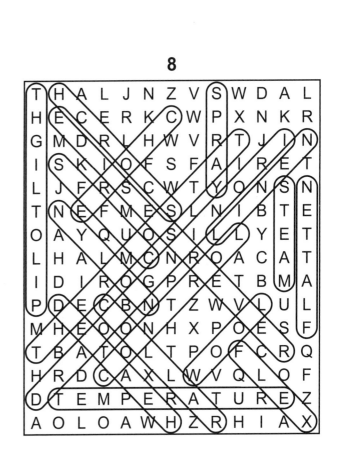

Solutions

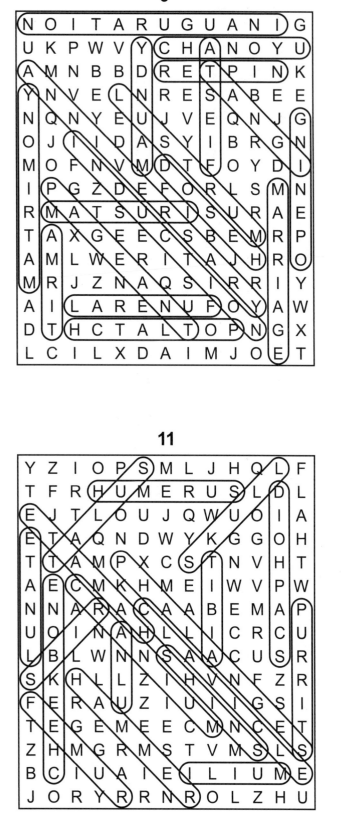

9

```
N O I T A R U G U A N I G
U K P W V Y C H A N O Y U
A M N B B D R E T P I N K
Y N V E L N R E S A B E E
N Q N Y E U J V E Q N J G
O J I I D A S Y I B R G N
M O F N V M D T F O Y D I
I P G Z D E F O R L S M N
R M A T S U R I S U R A E
T A X G E E C S B E M R P
A M L W E R I T A J H R O
M R J Z N A Q S I R R I Y
A I L A R E N U F O Y A W
D T H C T A L T O P N G X
L C I L X D A I M J O E T
```

10

```
S N O S A D T D C P N P A
W P H W D Y H M N R D Z K
U Z N L R F S E O A O M U
V S T H E F T L T L T S J
M L O L I O Q A Y O S S
O A E J N D P N N B H
T M W A R C A E S V O P C
H G I C A C C I O Q E T J
E P D H M R J W C O G L W
R J R I A V P D Y L Z E D
Y I E L C N U I P P H C R
F N I D V Z V A H P V O Y
F I J R R U S M E B R R A
N U Q E O X B N O I U I K
F Z B N I E C E Q J J O X
```

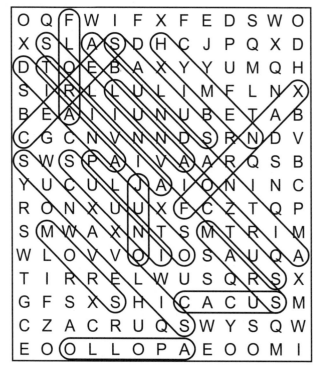

11

```
Y Z I O P S M L J H Q L F
T F R H U M E R U S L D L
E J T L O U J Q W U O I A
E T A Q N D W Y K G G O H
T T A M P X C S T N V H T
A E C M K H M E I W V P W
N N A R A C A A B E M A P
U O I N A H L L I C R C U
L B L W N N S A A C U S R
S K H L L Z I H V N F Z R
F E R A U Z I U I I G S I
T E G E M E E C M N C E T
Z H M G R M S T V M S L S
B C I U A I E I L I U M E
J O R Y R R N R O L Z H U
```

12

```
O Q F W I F X F E D S W O
X S L A S D H C J P Q X D
D T O E B A X Y Y U M Q H
S I R L L U L I M F L N X
B E A I I U N U B E T A B
C G C N V N N D S R N D V
S W S P A I V A A R Q S B
Y U C U L J A I O N I N C
R O N X U U X F C Z T Q P
S M W A X N T S M T R I M
W L O V V O I O S A U Q A
T I R R E L W U S Q R S X
G F S X S H I C A C U S M
C Z A C R U Q S W Y S Q W
E O O L L O P A E O O M I
```

Solutions

13

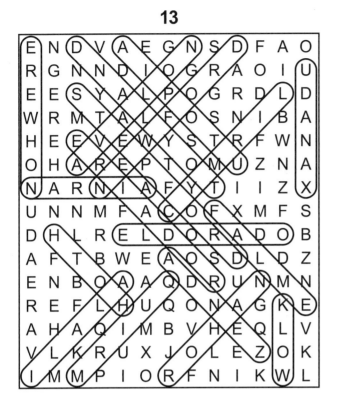

14

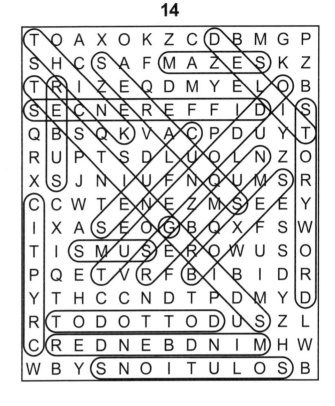

15

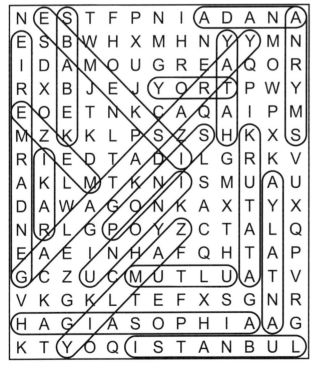

16

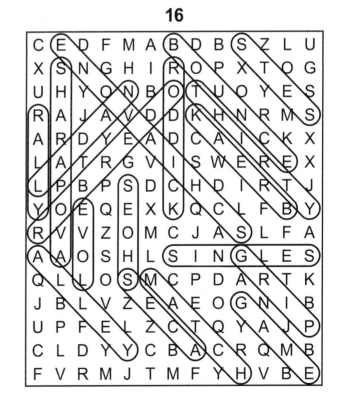

Solutions

17

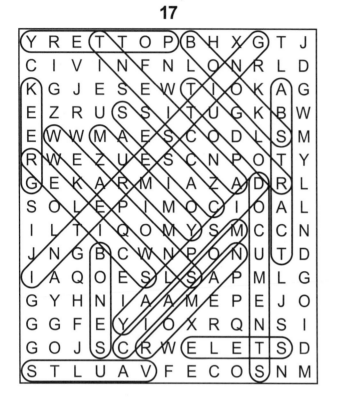

18

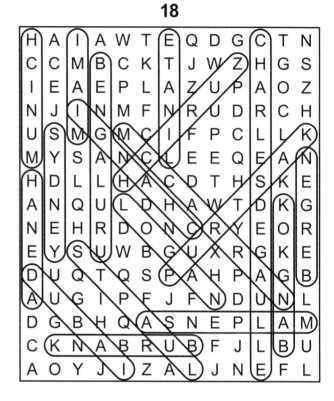

19

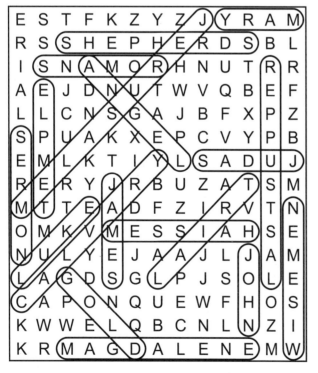

20

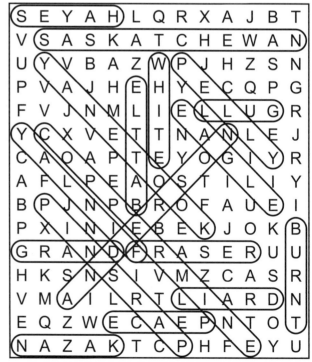

Solutions

21

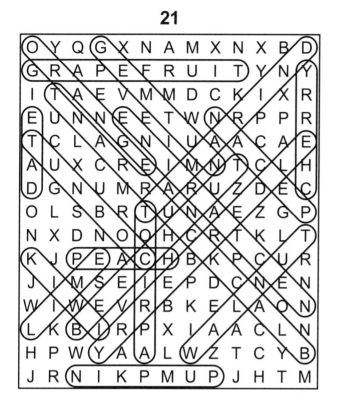

22

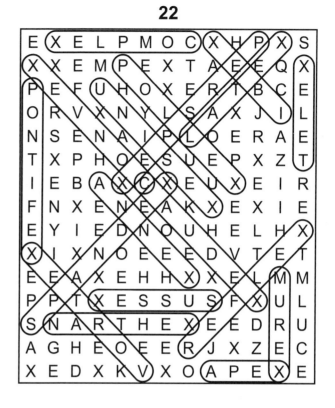

23

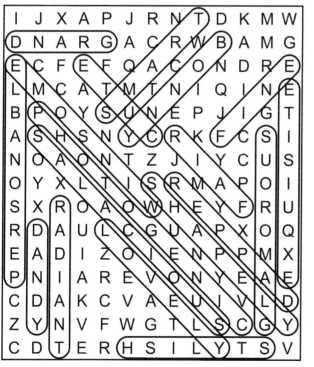

24

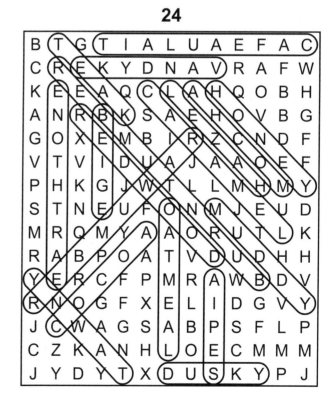

Solutions

25

```
S V H M T X T Z B P G F J
A Q L P M H O P F L R P N
I M D W E U R G A F O W A
N V R G S B R D E N B O H
E I U L K R Z M S F Y C K
R M L U A U R V A T V S A
A I X M S K O B R N T O R
U G M X E T E B A U S M T
Q A L H S R F L K F V K S
S N V O G J K R A U H F A
D P R E V T I K Y D I F Y
E S T B A S I L S F O A T
R A I R E B I S O Z U G W
A L H U T Q Z Z I Z F W A
P W H Y T I C R A T S O E
```

26

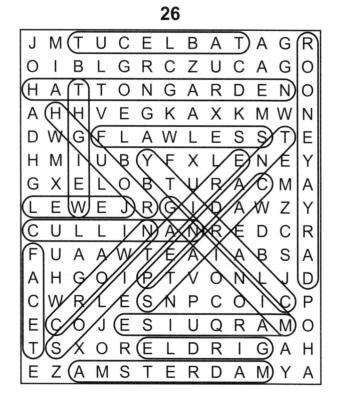

```
J M T U C E L B A T A G R
O I B L G R C Z U C A G O
H A T T O N G A R D E N O
A H H V E G K A X K M W N
D W G F L A W L E S S T E
H M I U B Y F X L E N E Y
G X E L O B T U R A C M A
L E W E J R G I D A W Z R
C U L L I N A N R E D C R
F U A A W T E A I A B S A
A H G O I P T V O N L J D
C W R L E S N P C O I C P
E C O J E S I U Q R A M O
T S X O R E L D R I G A H
E Z A M S T E R D A M Y A
```

27

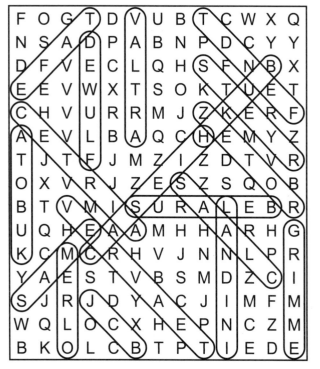

```
F O G T D V U B T C W X Q
N S A D P A B N P D C Y Y
D F V E C L Q H S F N B X
E E V W X T S O K T U E T
C H V U R R M J Z K E R F
A E V L B A Q C H E M Y Z
T J T F J M Z I Z D T V R
O X V R J Z E S Z S Q O B
B T V M I S U R A L E B R
U Q H E A A M H H A R H G
K C M C R H V J N N L P R
Y A E S T V B S M D Z C I
S J R J D Y A C J I M F M
W Q L O C X H E P N C Z M
B K O L C B T P T I E D E
```

28

```
U N B E N D I N G B D Y C
F F I T S P I F D I W W
G S U D X E I G N X E D T
N T D L P X E F I D H N R
O U N E E G L Q E R A U T
R R J D L E D N Z M R O J
T D P L X L I O A P B A Q
S Y H I M M I D U I Q E Q
D D B F R U A W B R K D F
A L S E V E L P F J B I W
E Y T U X R U I C L V H S
H E M R I F M L S N E Y G
D H X D O G G E D H C S L
I N T R A N S I G E N T A
R S U O I C A N I T R E P
```

Solutions

29

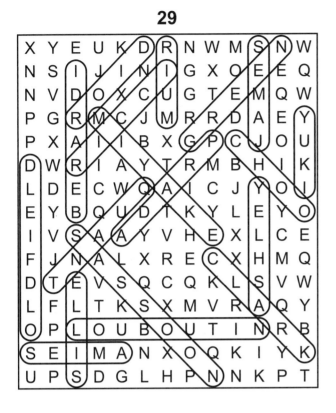

30

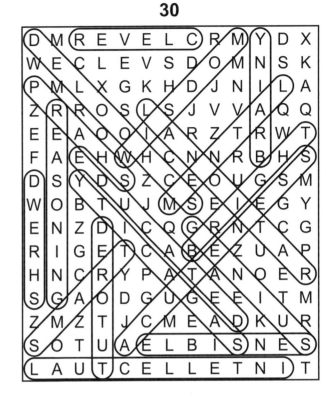

31

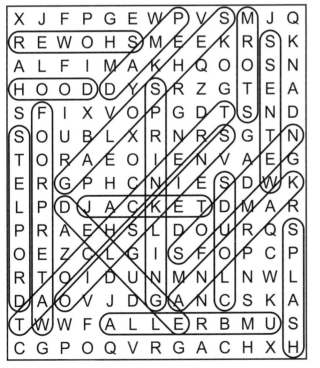

32

Solutions

33

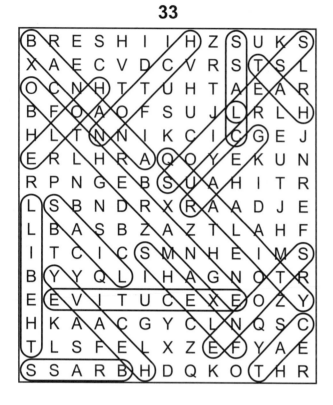

34

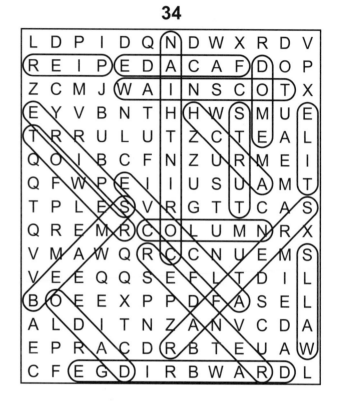

35

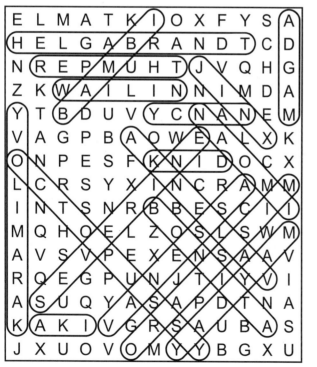

36

Solutions

37

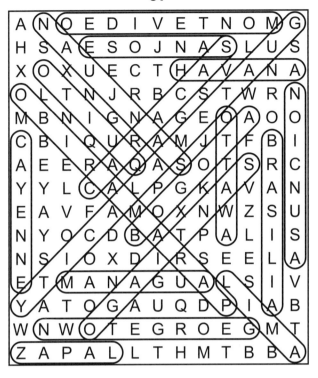

```
A N O E D I V E T N O M G
H S A E S O J N A S L U S
X O X U F C T H A V A N A
O L T N J R B C S T W R N
M B N I G N A G E O A O O
C B I Q U R A M J T F B I
A E E R A Q A S O T S R C
Y Y L C A L P G K A V A N
E A V F A M O X N W Z S U
N Y O C D B A T P A L I S
N S I O X D I R S E E L A
E T M A N A G U A L S I V
Y A T O G A U Q D P I A B
W N W O T E G R O E G M T
Z A P A L L T H M T B B A
```

38

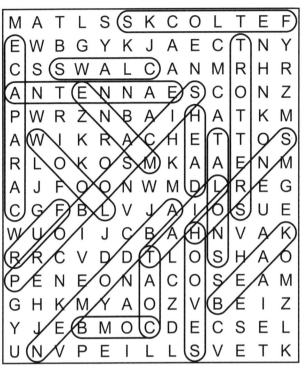

```
M A T L S S K C O L T E F
E W B G Y K J A E C T N Y
C S S W A L C A N M R H R
A N T E N N A E S C O N Z
P W R Z N B A I H A T K M
A W I K R A C H E T T O S
R L O K O S M K A A E N M
A J F O O N W M D L R E G
C G F B L V J A I O S U E
W U O I J C B A H N V A K
R R C V D D T L O S H A O
P E N E O N A C O S E A M
G H K M Y A O Z V B E I Z
Y J E B M O C D E C S E L
U N V P E I L L S V E T K
```

39

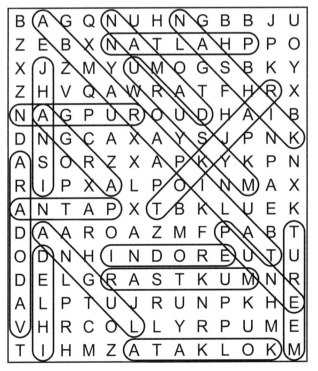

```
B A G Q N U H N G B B J U
Z E B X N A T L A H P P O
X J Z M Y U M O G S B K Y
Z H V Q A W R A T F H R X
N A G P U R O U D H A I B
D N G C A X A Y S J P N K
A S O R Z X A P K Y K P N
R I P X A L P O I N M A X
A N T A P X T B K L U E K
D A A R O A Z M F P A B T
O D N H I N D O R E U T U
D E L G R A S T K U M N R
A L P T U J R U N P K H E
V H R C O L L Y R P U M E
T I H M Z A T A K L O K M
```

40

```
S H R E L H G K L M H G B
O R K S X V N N E Z J V I
G E E L R I O N I G F F C
M E W F T E D U N W X A Y
D R T T F I G I C H E B C
S I I E N O Y D A H P S L
P N S G R U R G O S E E E
G I B C B A G B M L Z R R
V C G K O L H A A I B J S
A O L G I U R S S W A P S
X U M N Y K N N R A U E F
B P G U E B W T W A U D I
B O H T S O A N S E C B S
T N A L D M W N V Y L T B
N S S I R G N I K L A W E
```

Solutions

41

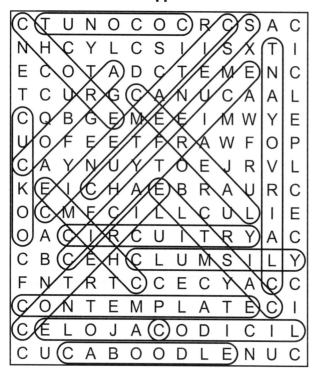

42

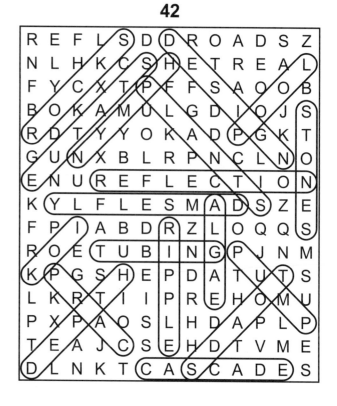

43

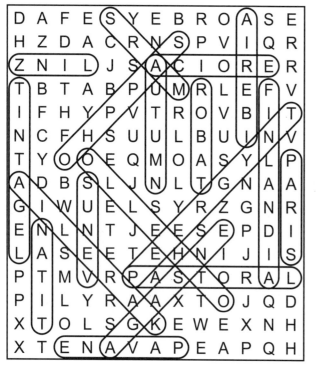

44

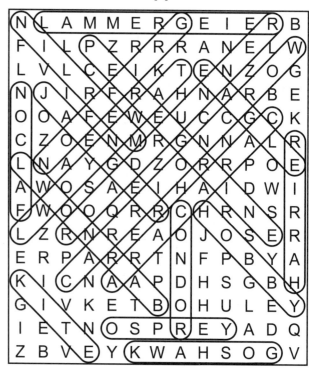

Solutions

45

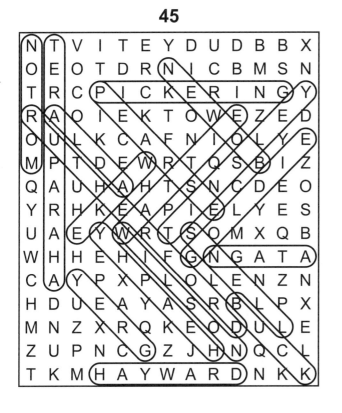

46

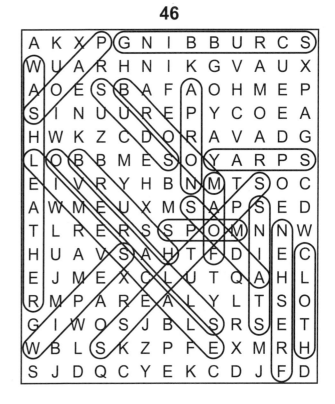

47

48

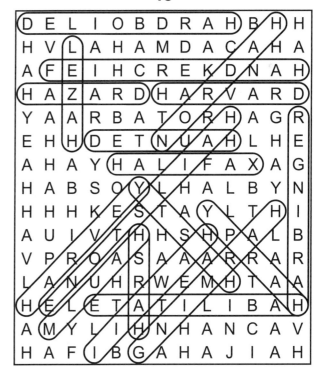

Solutions

49

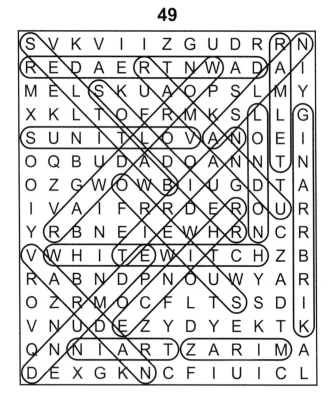

50

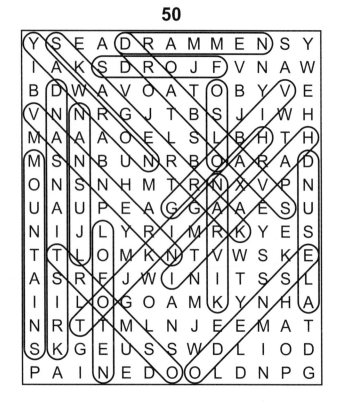

51

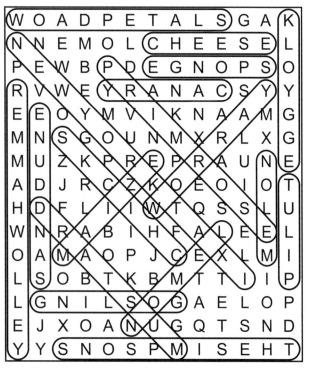

52

Solutions

53

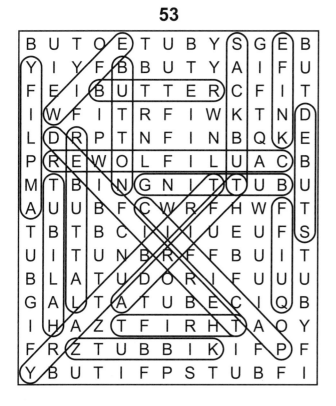

54

55

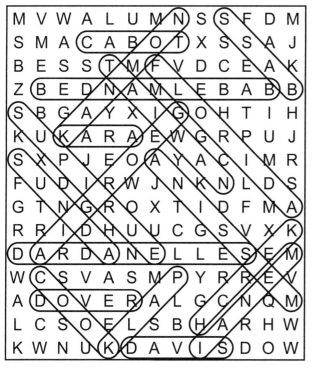

56

Solutions

57

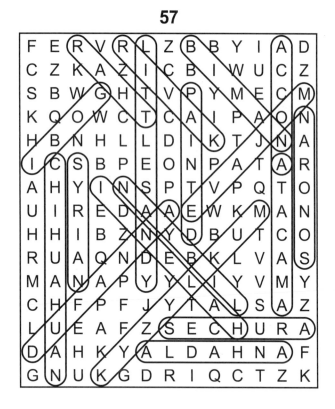

58

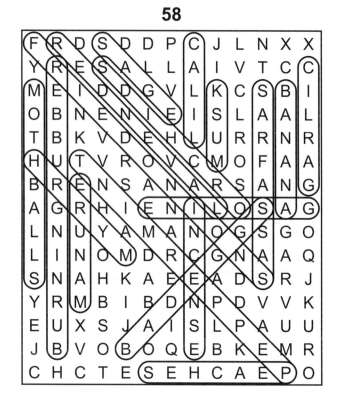

59

60

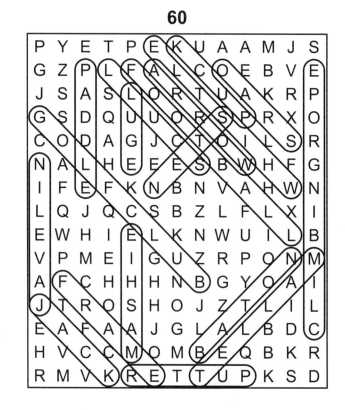

Solutions

61

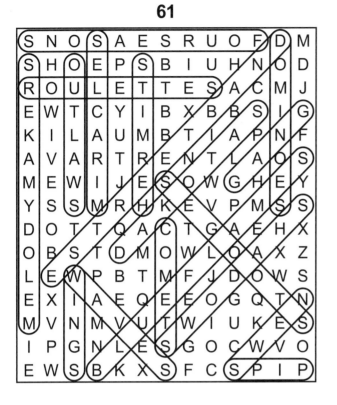

62

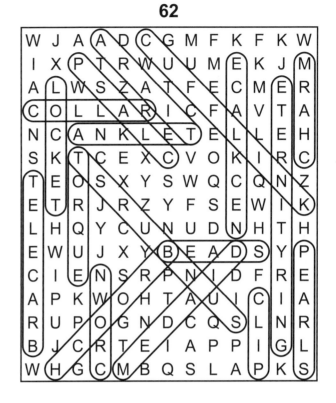

63

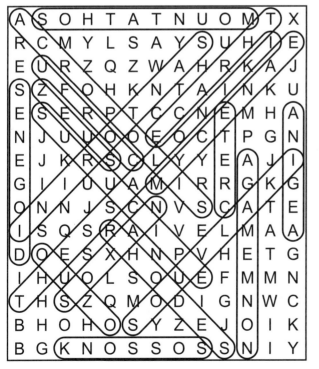

64

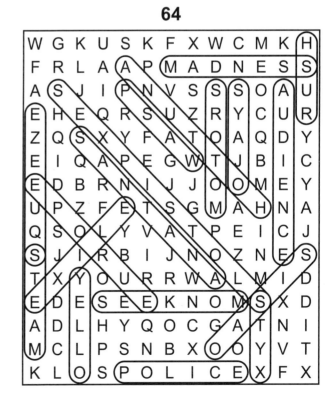

Solutions

65

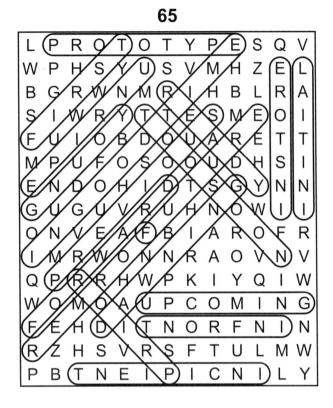

66

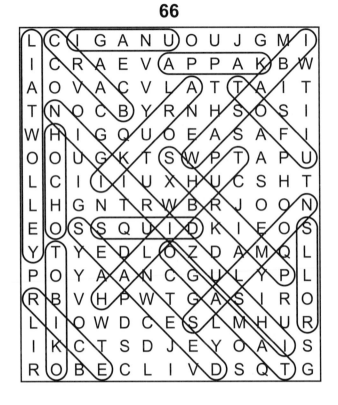

67

68

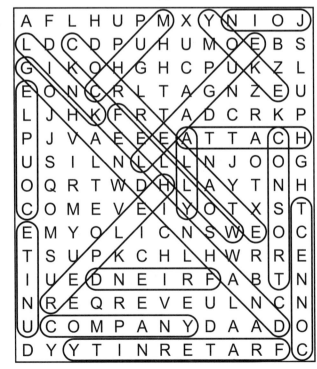

Solutions

69

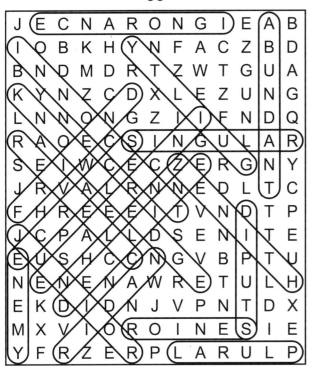

70

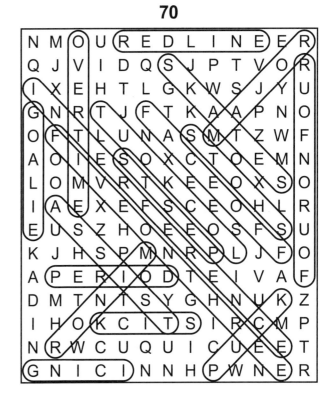

71

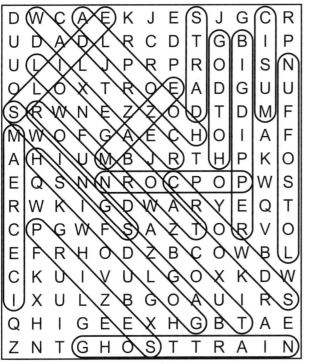

72

Solutions

73

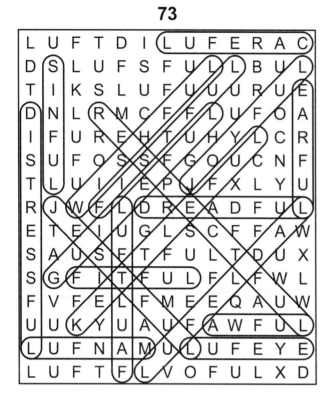

74

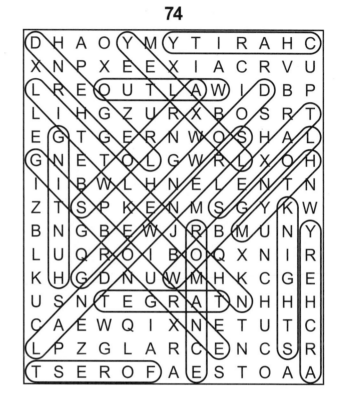

75

76

Solutions

77

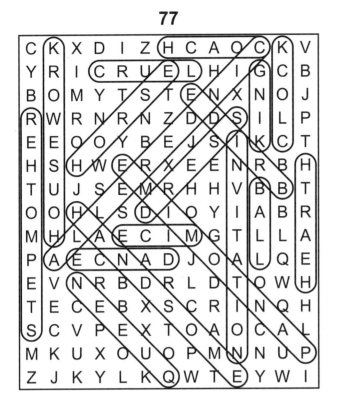

78

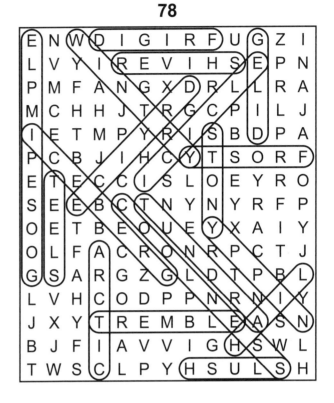

79

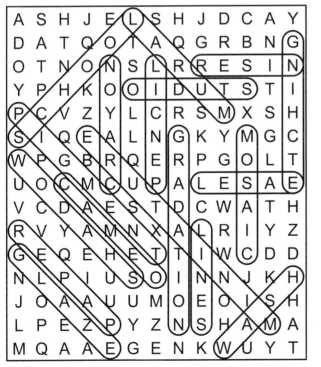

80

Solutions

81

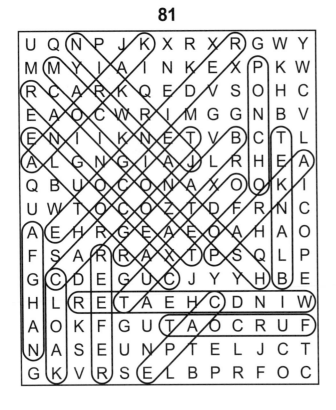

82

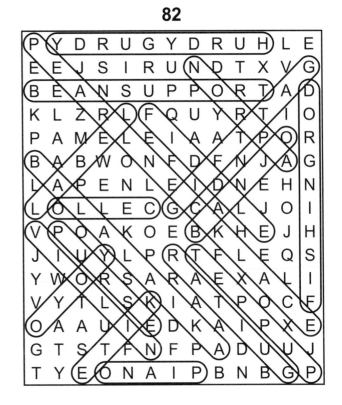

83

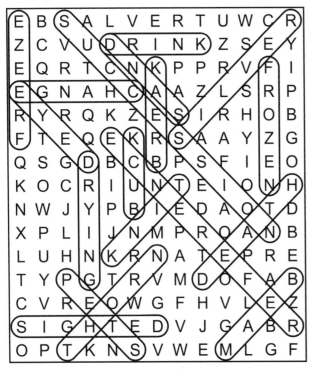

84

Solutions

85

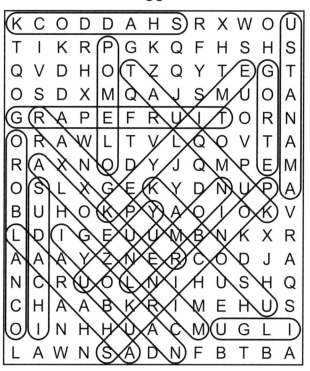

86

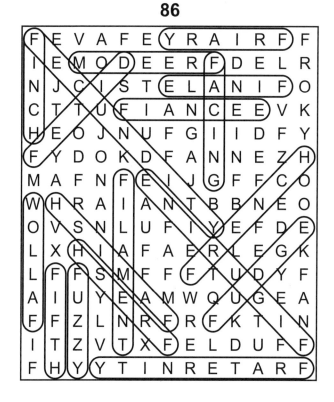

87

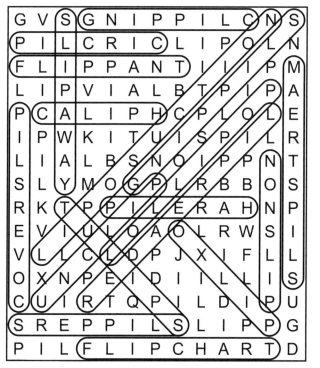

88

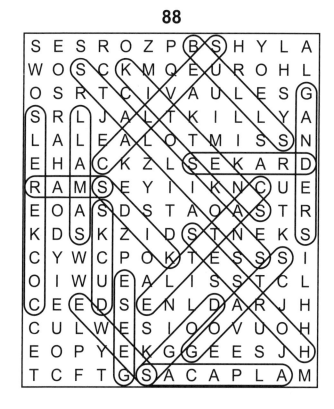

Solutions

89

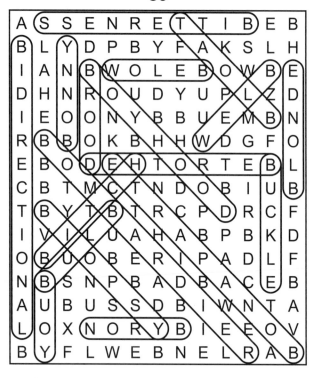

90

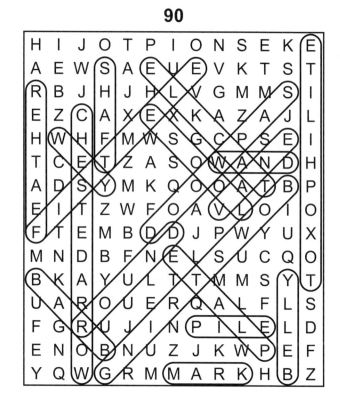

91

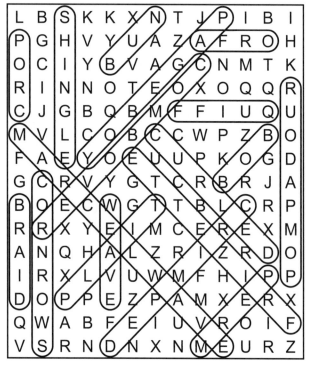

92

Solutions

93

94

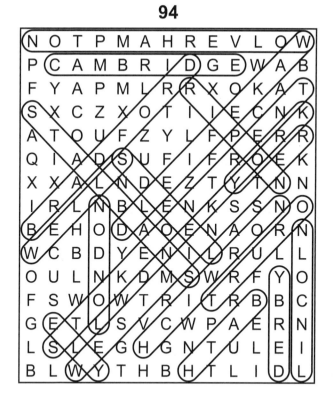

95

96

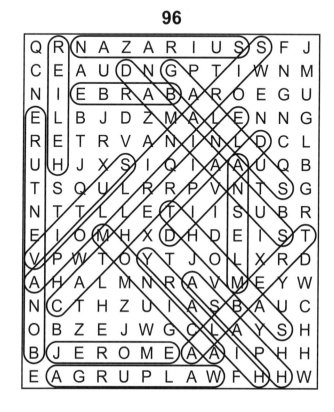

Solutions

97

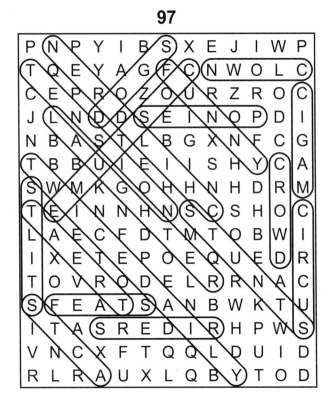

98

99

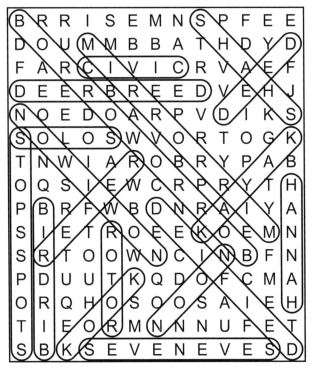

100

Solutions

101

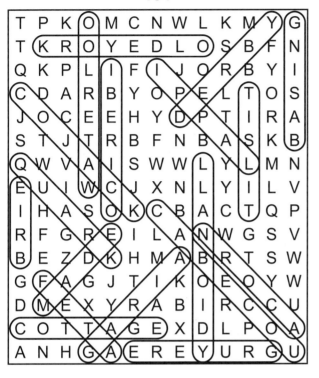

102

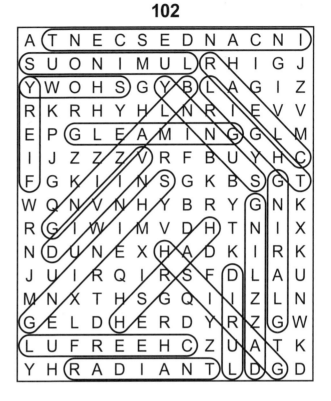

103

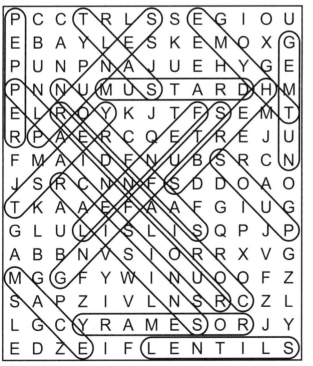

104

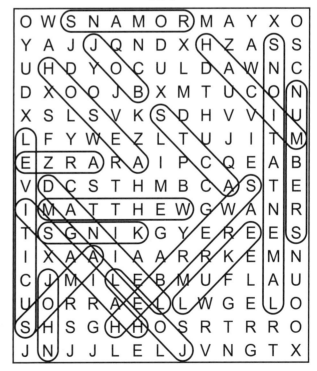

Solutions

105

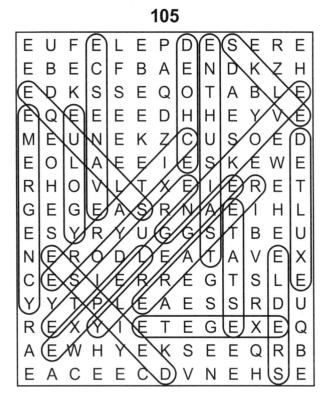

106

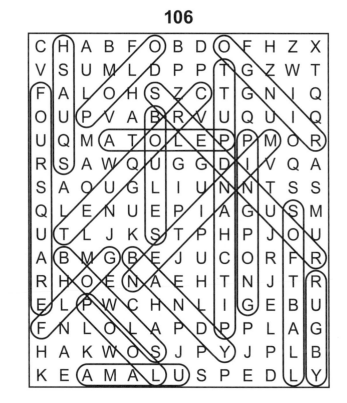

107

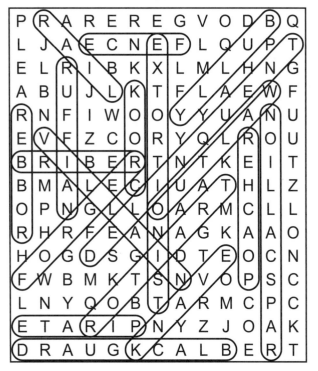

108

Solutions

109

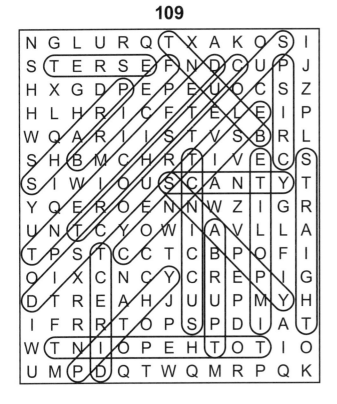

110

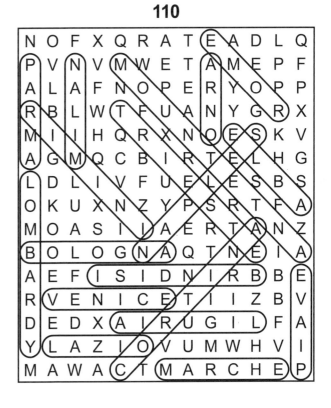

111

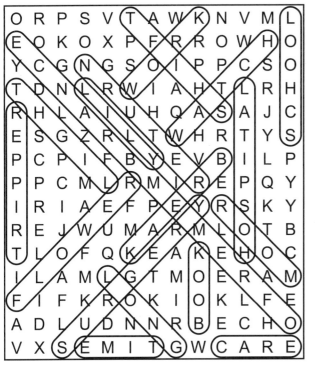

112

Solutions

113

114

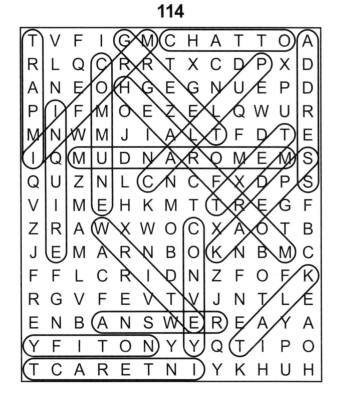

115

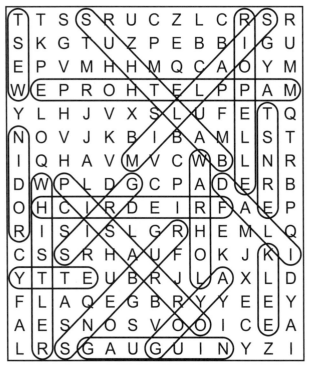

116

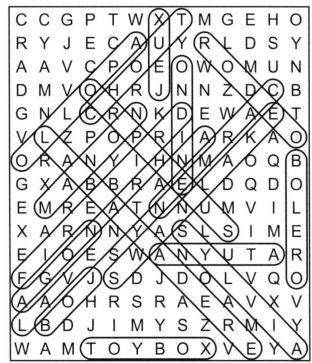

Solutions

117

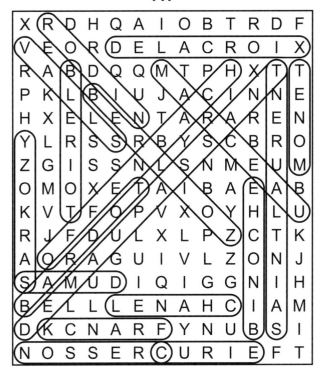

118

119

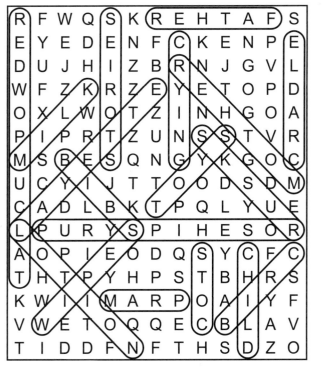

120

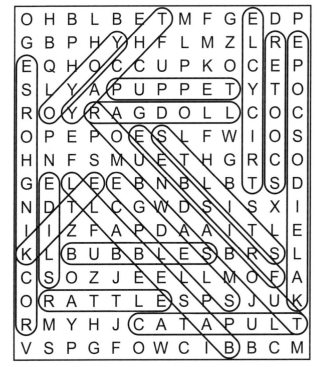

Solutions

121

122

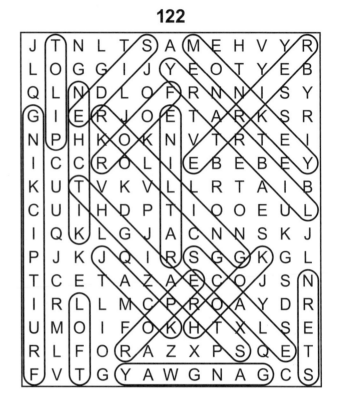

123

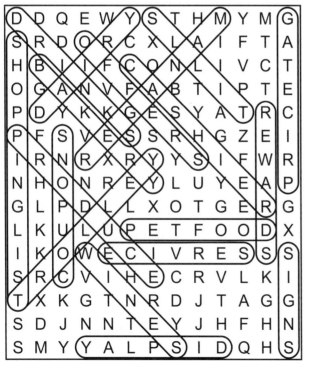

124

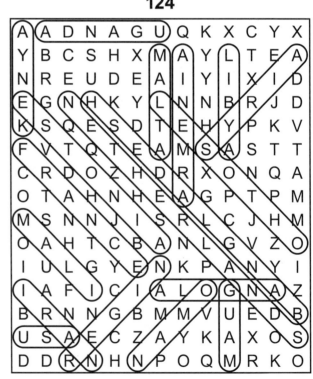

Solutions

125

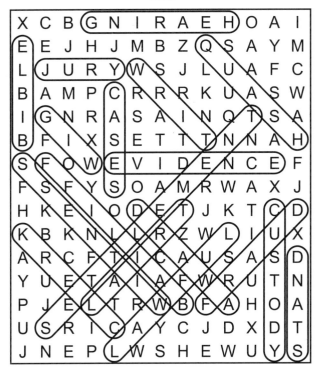

126

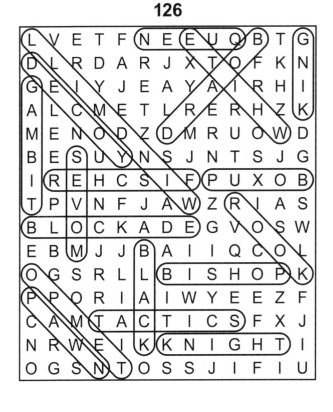

127

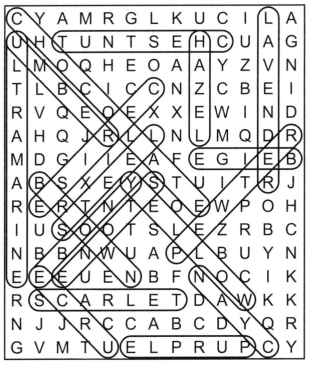

128

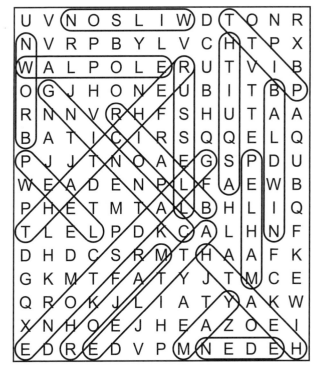

Solutions

129

130

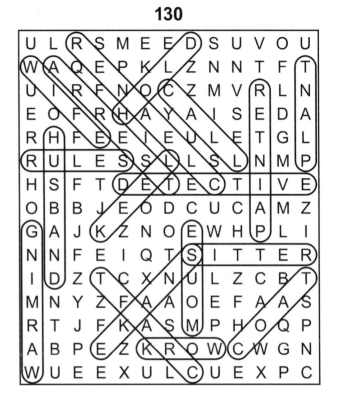

131

132

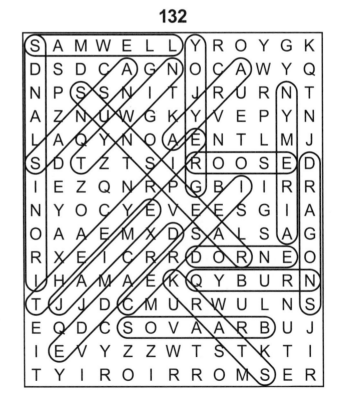

Solutions

133

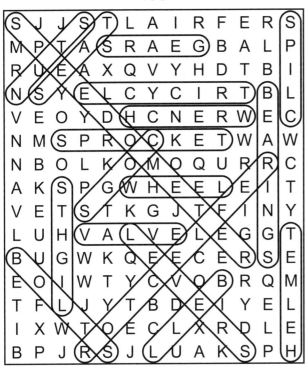

134

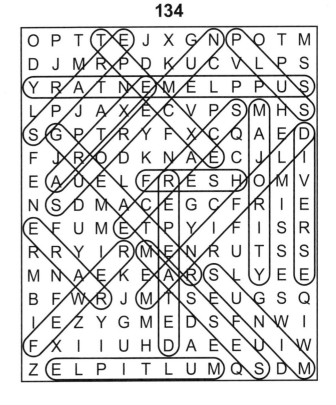

135

136

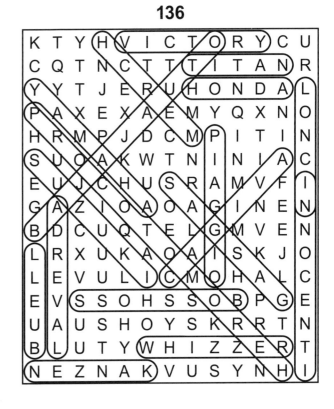

Solutions

137

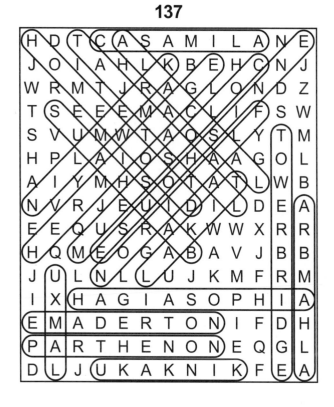

```
H D T C A S A M I L A N E
J O I A H L K B E H C N J
W R M T J R A G L O N D Z
T S E E E M A C L I F S W
S V U M W T A O S L Y T M
H P L A I O S H A A G O L
A I Y M H S O T A T L W B
N V R J E U I D I L D E A
E E Q U S R A K W W X R R
H Q M E O G A B A V J B B
J U L N L L U J K M F R M
I X H A G I A S O P H I A
E M A D E R T O N I F D H
P A R T H E N O N E Q G L
D L J U K A K N I K F E A
```

138

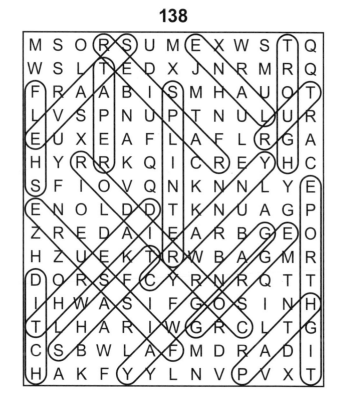

```
M S O R S U M E X W S T Q
W S L T E D X J N R M R Q
F R A A B I S M H A U O T
L V S P N U P T N U L U R
E U X E A F L A F L R G A
H Y R R K Q I C R E Y H C
S F I O V Q N K N N L Y E
E N O L D D T K N U A G P
Z R E D A I E A R B G E O
H Z U E K T R W B A G M R
D O R S F C Y R N R Q T T
I H W A S I F G O S I N H
T L H A R I W G R C L T G
C S B W L A F M D R A D I
H A K F Y Y L N V P V X T
```

139

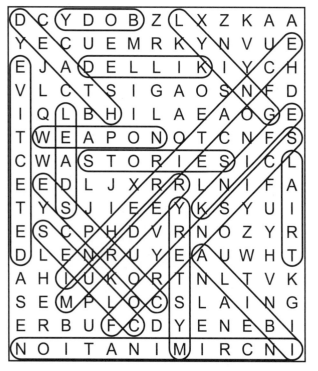

```
D C Y D O B Z L X Z K A A
Y E C U E M R K Y N V U E
E J A D E L L I K I Y C H
V L C T S I G A O S N F D
I Q L B H I L A E A O G E
T W E A P O N O T C N F S
C W A S T O R I E S I C L
E E D L J X R R L N I F A
T Y S J I E E Y K S Y U I
E S C P H D V R N O Z Y R
D L E N R U Y E A U W H T
A H I U K O R T N L T V K
S E M P L O C S L A I N G
E R B U F C D Y E N E B I
N O I T A N I M I R C N I
```

140

```
K V I W I I L A G N E B M
J S H R M S J R C Y C L J
N G R U I H U T J S I I K
A Z E R I M H N G Y A M R
R U S G H A H O D H M A S
N D E J I E L S I A A T B
A R U H G A S N A V R G M
I U G O G G D E W K A Q G
N M U A G I G H M B S W R
I I T A L I A N Z R Z J E
A F R I K A A N S X U P E
R J O Z M V N S W N S B K
K W P E F K I W X W M J V
U P N A I R A G N U H H V Z
N A I G E W R O N V C N G
```

Solutions

141

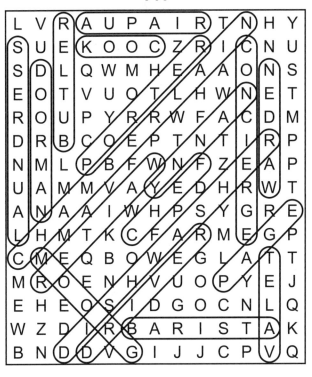

142

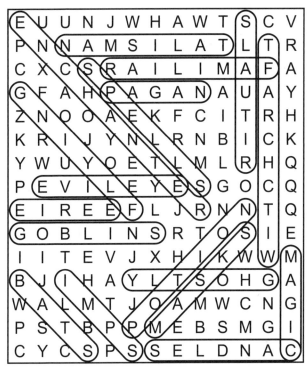

143

144

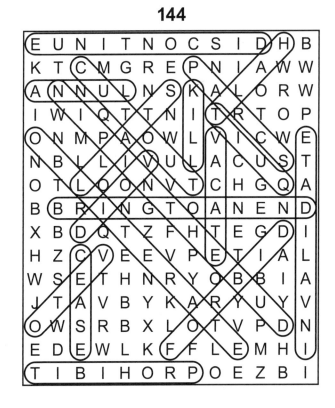

Solutions

145

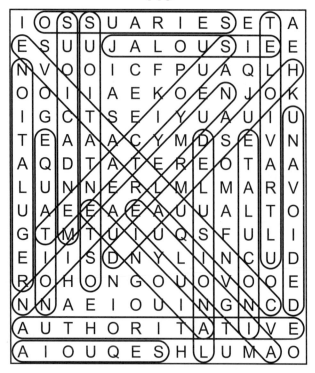

146

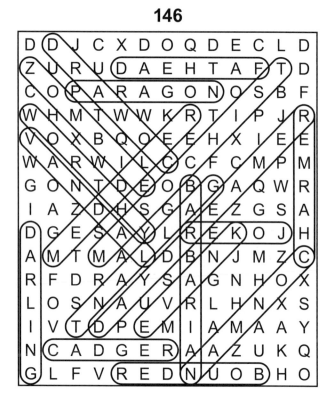

147

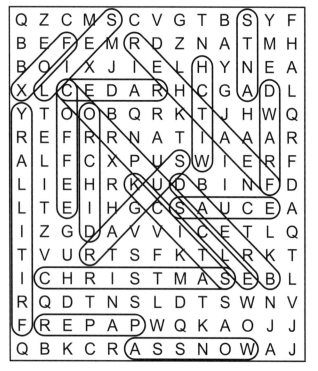

148

Solutions

149

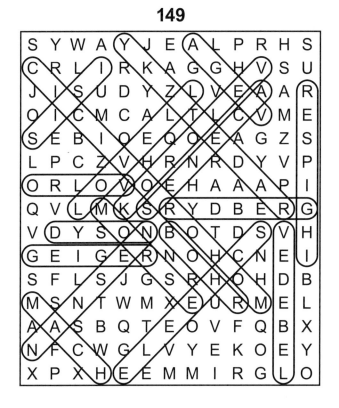

150

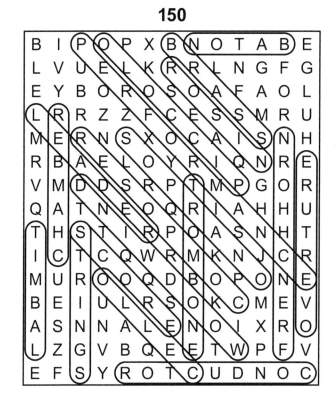

151

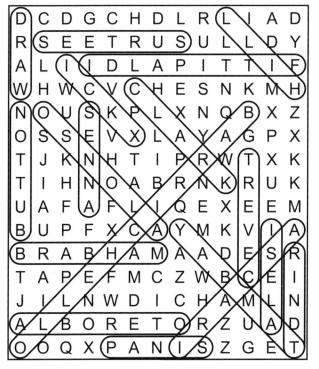

152

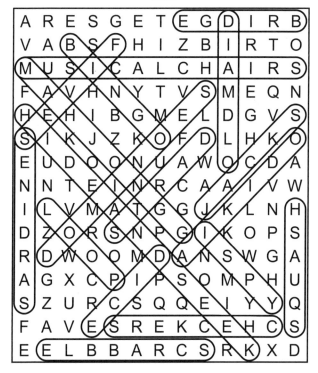

Solutions

153

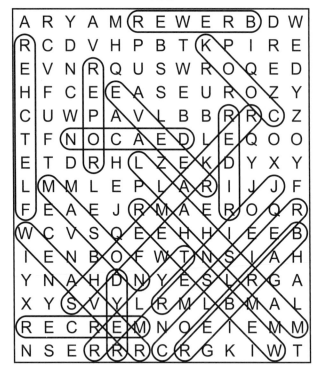

```
A R Y A M R E W E R B D W
R C D V H P B T K P I R E
E V N R Q U S W R O Q E D
H F C E E A S E U R O Z Y
C U W P A V L B B R R C Z
T F N O C A E D L E Q O O
E T D R H L Z E K D Y X Y
L M M L E P L A R I J J F
F E A E J R M A E R O Q R
W C V S Q E E H H I E E B
I E N B O F W T N S I A H
Y N A H D N Y E S L R G A
X Y S V Y L R M L B M A L
R E C R E M N O E I E M M
N S E R R R C R G K I W T
```

154

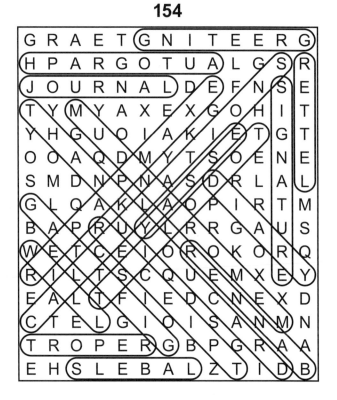

```
G R A E T G N I T E E R G
H P A R G O T U A L G S R
J O U R N A L D E F N S E
T Y M Y A X E X G O H I T
Y H G U O I A K I E T G T
O O A Q D M Y T S O E N E
S M D N P N A S D R L A L
G L O A K L A O P I R T M
B A P R U Y L R R G A U S
W E T C E I O R O K O R Q
R I L T S C Q U E M X E Y
E A L T F I E D C N E X D
C T E L G I O I S A N M N
T R O P E R G B P G R A A
E H S L E B A L Z T I D B
```

155

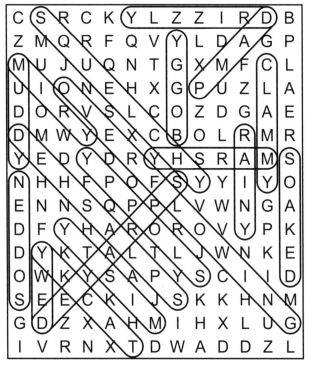

```
C S R C K Y L Z Z I R D B
Z M Q R F Q V Y L D A G P
M U J U Q N T G X M F C L A
U I O N E H X G P U Z L A E
D O R V S L C O Z D G A A E
D M W Y E X C B O L R M R
Y E D Y D R Y H S R A M S
N H H F P O F S Y Y I Y O
E N N S Q P P L V W N G A
D F Y H A R O R O V Y P K
D Y K T A L T L J W N K E
O W K Y S A P Y S C I I D
S E E C K I J S K K H N M
G D Z X A H M I H X L U G
I V R N X T D W A D D Z L
```

156

```
D A T E G S R Y G E N E L
L P R A N A D E L O T U W
E E B U T T E R E L Q S J
G A B E S L E G A B E M K
D N W U V L B F S G S J H
U O A F A I Y N A C W E O
F S N E M Z I S O K C S P
N U E A X F U Y Y L U I E
O G L V F A B U A S B A A
L A X U S D C I S S A N N
S R M E C N R H O W G N U
Y L G A P S O X I T E O T
R L O L E D E N D P Y A S
U E S E P R E N C C S A X
P J R O N O C A B T B M M
```

Solutions

157

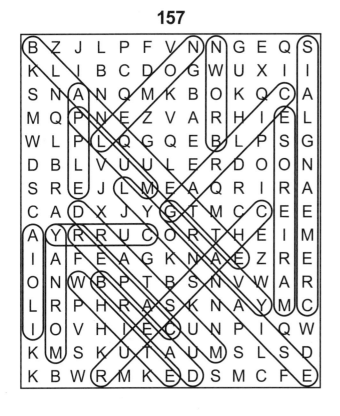

158

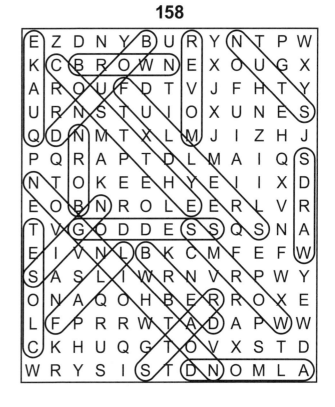

159

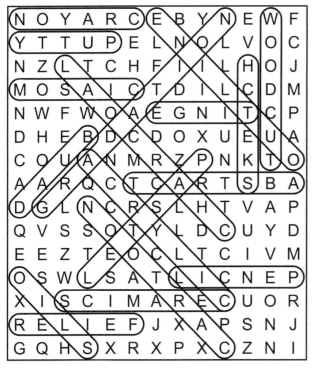

160

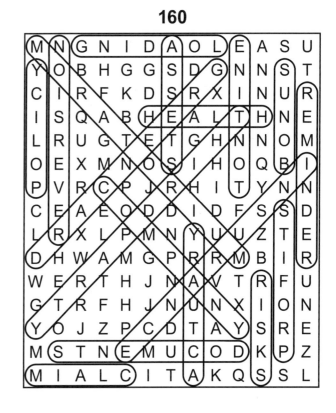

Solutions

161

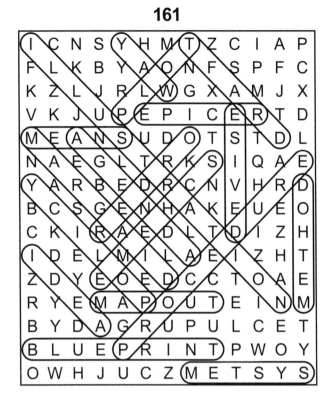

162

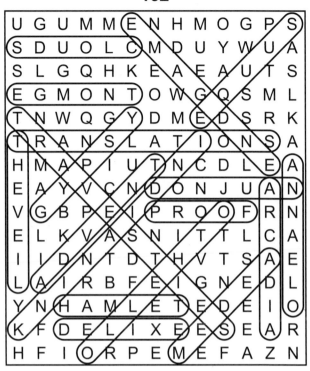

163

164

Solutions

165

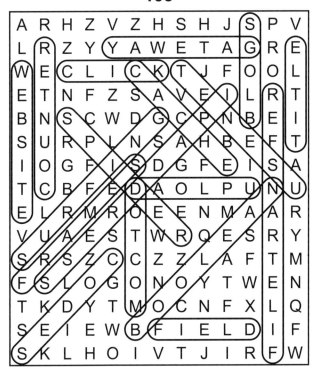

166

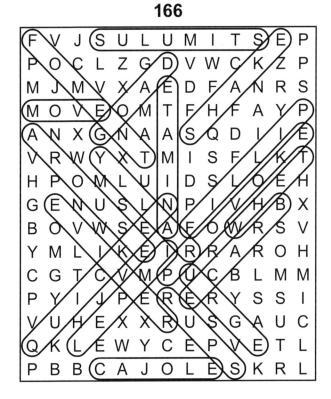

167

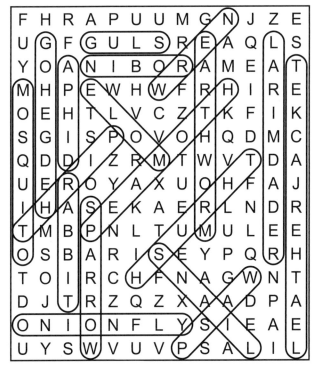

168

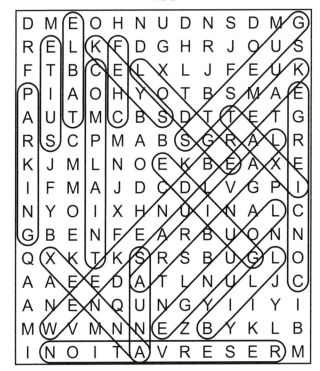

Solutions

169

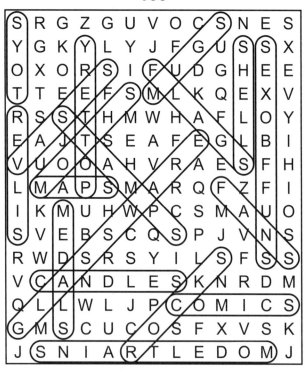

170

171

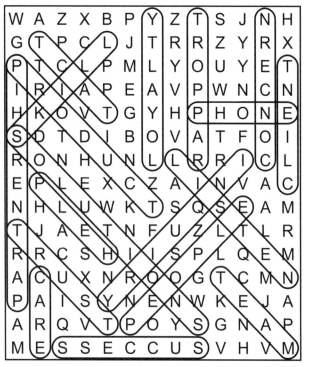

172

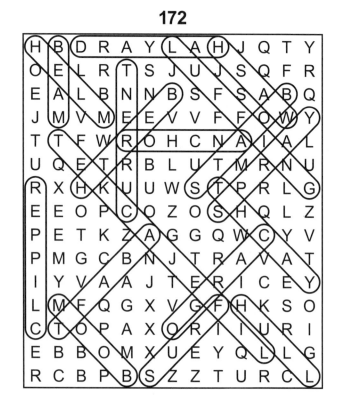

Solutions

173

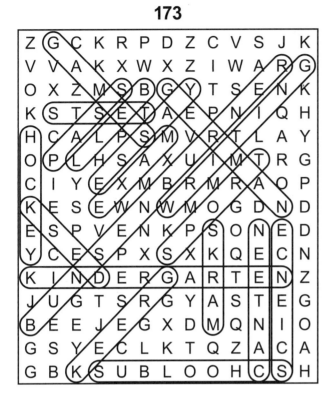

174

175

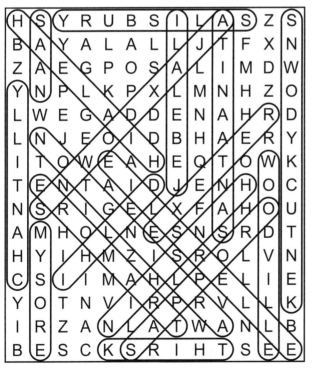

176

Solutions

177

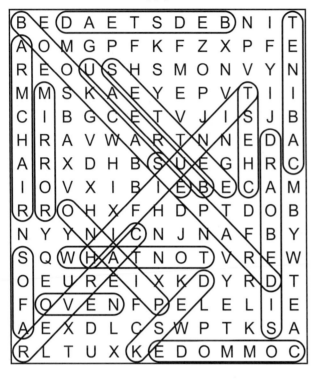

178

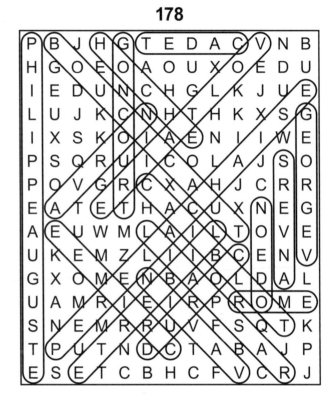

179

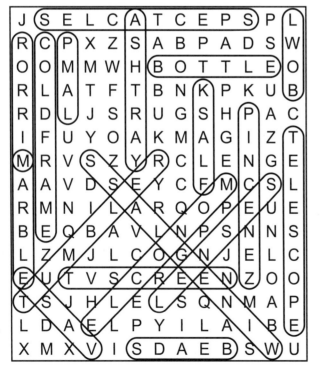

180

Solutions

181

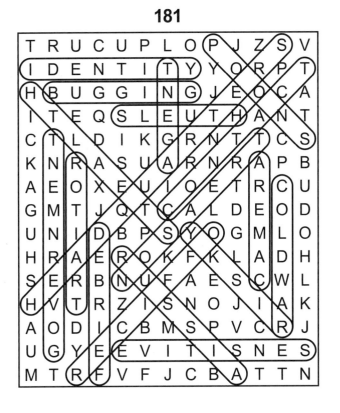

```
T R U C U P L O P J Z S V
I D E N T I T Y Y O R P T
H B U G G I N G J E O C A
I T E Q S L E U T H A N T
C T L D I K G R N T T C S
K N R A S U A R N R A P B
A E O X E U I O E T R C U
G M T J Q T C A L D E O D
U N I D B P S Y O G M L O
H R A E R O K F K L A D H
S E R B N U F A E S C W L
H V I T R Z I S N O J I A K
A O D I C B M S P V C R J
U G Y E E V I T I S N E S
M T R F V F J C B A T T N
```

182

```
C I T A M O L P I D E B D
R E U S O E B C K M C P E
J U N Q D S T L O J W L N
N C N A J D I I I S M A I F
W E L L B R E D L G O I E
S U O E T R U O C I T E R
L A I N E G U K R C P N R
U G G T D U T I F U L E G
F A R E C S E Y K N L R R
T L B T N V D A Z B B E A
C L U H A T G J A U M F C
A A P U L G E I N J H E I
P T C N L A D Y L I K E U
E V I T I S N E S Z J T S
```

183

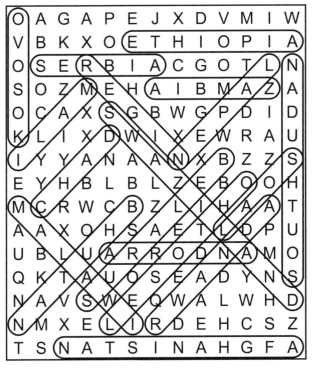

```
O A G A P E J X D V M I W
V B K X O E T H I O P I A
O S E R B I A C G O T L N
S O Z M E H A I B M A Z A
O C A X S G B W G P D I D
K L I X D W I X E W R A U
I Y Y A N A A N X B Z Z S
E Y H B L B L Z E B O O H
M C R W C B Z L I H A A T
A A X O H S A E T L D P U
U B L U A R R O D N A M O
Q K T A U O S E A D Y N S
N A V S W E Q W A L W H D
N M X E L I R D E H C S Z
T S N A T S I N A H G F A
```

184

```
S I M U T Z P R Q L J A S
M T I A K T O K S A M R Z
N F G B P I R A N T O E E
O T O T D A L O R R E H C
I J J U O R E P A A V B K
L Y L W T T A P Y T S Y O
L O J Y K D Y N N E J T A
I S A C N I O R Q E E H A
M S H M P O Q O O A Q M H
T A A Y Q S M Q R W U L T
E F T R O R A M A G A E V
E L A I B T P K I X I F H
W A L A N E R D U L I R B
S M L D V A T U U R R U L
R E N E X G C J A J A L N
```

Solutions

185

186

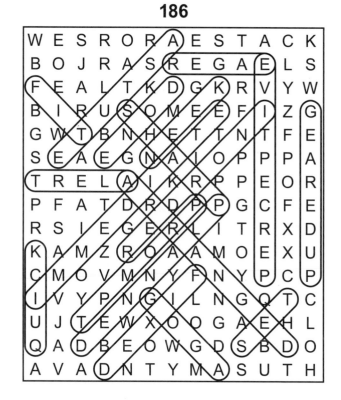

187

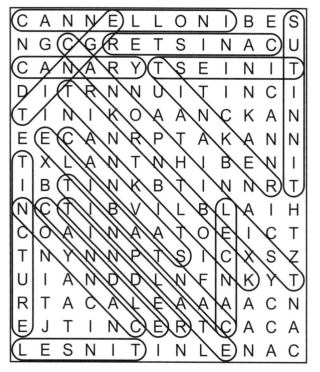

188

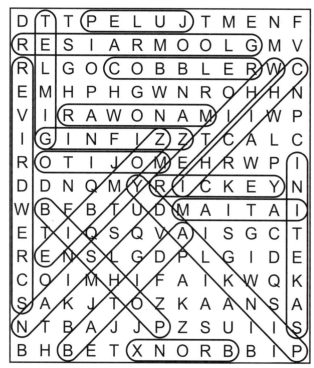

Solutions

189

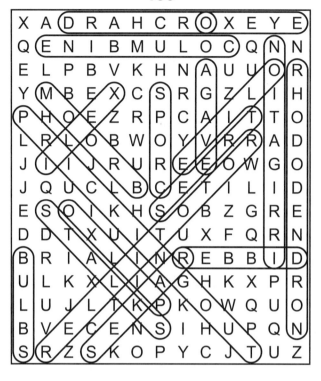

190

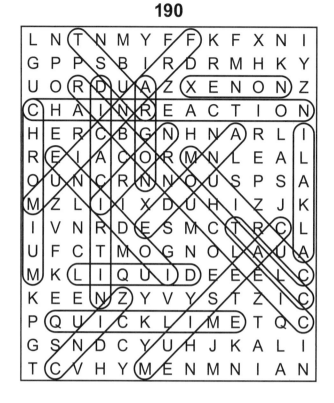

191

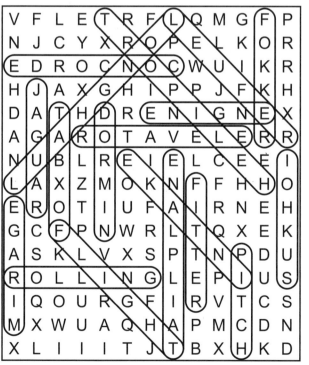

192

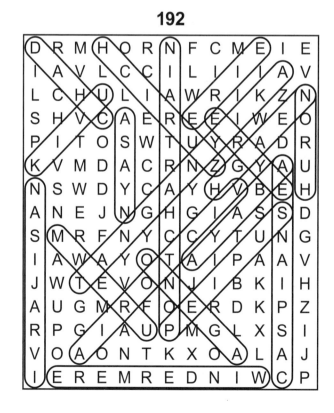

Solutions

193

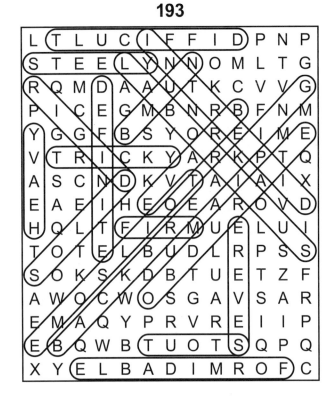

194

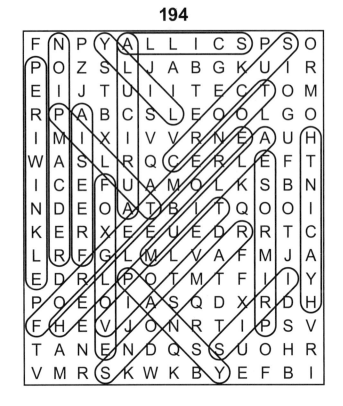

195

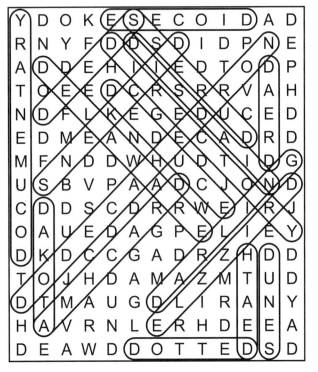

196

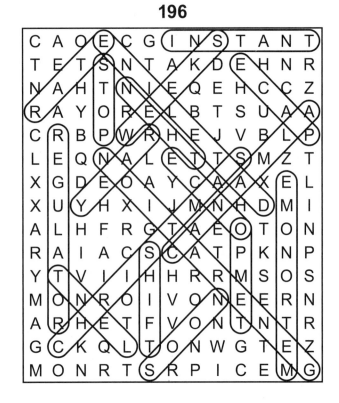

Solutions

197

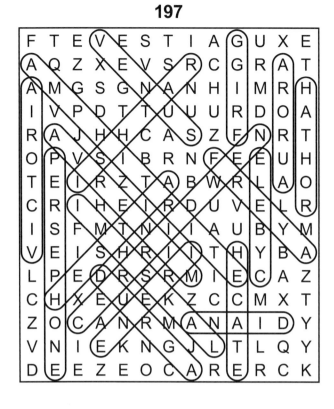

198

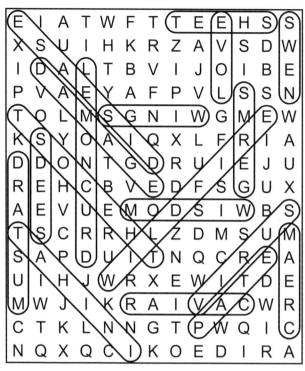

199

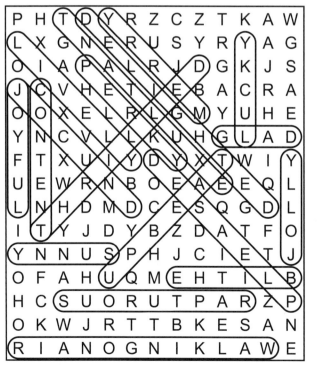

200

Solutions

201

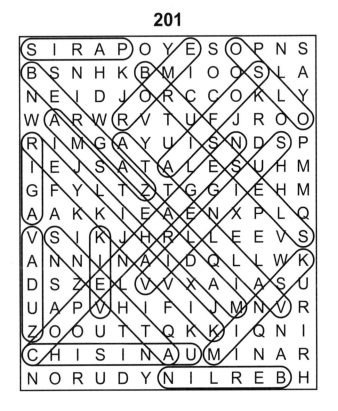